NOTURNOS

KAZUO ISHIGURO

Noturnos
Histórias de música e anoitecer

Tradução
Fernanda Abreu

2ª edição
1ª reimpressão

PRÊMIO NOBEL
COMPANHIA DAS LETRAS

Copyright © 2009 by Kazuo Ishiguro

Proibida a venda em Portugal

Grafia atualizada segundo o Acordo Ortográfico da Língua Portuguesa de 1990, que entrou em vigor no Brasil em 2009.

Título original
Nocturnes — Five stories of music and nightfall

Capa
Alceu Chiesorin Nunes

Foto de capa
Pássaros: lynea / Shutterstock
Violino: Stocksnapper / Shutterstock

Preparação
Maria Cecília Caropreso

Revisão
Valquíria Della Pozza
Carmen S. da Costa

Dados Internacionais de Catalogação na Publicação (CIP)
(Câmara Brasileira do Livro, SP, Brasil)

Ishiguro, Kazuo
   Noturnos : histórias de música e anoitecer / Kazuo Ishiguro ; tradução Fernanda Abreu. — 2ª ed. — São Paulo : Companhia das Letras, 2017.

   Título original: Nocturnes : five stories of music and nightfall.
   ISBN 978-85-359-3021-4

   1. Contos japoneses I. Título.

10-02007   CDD-823.91

Índice para catálogo sistemático:
1. Contos : Literatura japonesa em inglês 823.91

[2018]
Todos os direitos desta edição reservados à
EDITORA SCHWARCZ S.A.
Rua Bandeira Paulista, 702, cj. 32
04532-002 — São Paulo — SP
Telefone: (11) 3707-3500
www.companhiadasletras.com.br
www.blogdacompanhia.com.br
facebook.com/companhiadasletras
instagram.com/companhiadasletras
twitter.com/cialetras

Para Deborah Rogers

Sumário

Crooner, 9
Chova ou faça sol, 39
Malvern Hills, 87
Noturno, 121
Celistas, 179

Crooner

Na manhã em que vi Tony Gardner sentado entre os turistas, a primavera havia acabado de chegar aqui em Veneza. Tínhamos completado nossa primeira semana inteira do lado de fora, na *piazza* — um alívio, deixem-me dizer, depois de todas aquelas horas abafadas tocando nos fundos do café, atrapalhando os clientes que queriam usar a escada. A brisa soprava com força nessa manhã, e nosso toldo novinho em folha se agitava em volta de nós, mas estávamos todos nos sentindo um pouco mais animados e dispostos, e acho que isso transparecia na nossa música.

Mas olhem eu aqui falando como se fosse um membro da banda. Na verdade, sou um dos "ciganos", como os outros músicos nos chamam, um desses caras que estão sempre andando pela *piazza*, ajudando qualquer uma das três orquestras dos cafés que esteja precisando de nós. Eu toco principalmente aqui, no Caffè Lavena, mas quando a tarde está agitada posso muito bem fazer um *set* com os caras do Quadri, ir até o Florian, e depois tornar a cruzar a praça para o Lavena. Me dou bem com todos eles — e com os garçons também —, e em qualquer outra cidade a esta altura eu já teria um posto fixo. Mas aqui, neste lugar tão obcecado por tradição e passado, tudo está de cabeça para baixo. Em qualquer outro lugar, tocar violão contaria a favor. Mas aqui? Um violão! Os gerentes dos cafés ficam nervosos. Parece moderno demais, os turistas não vão gostar. No outono passado, arrumei um modelo *vintage* usado por músicos de jazz, com a boca oval, o tipo de violão que Django Reinhardt poderia ter tocado, para não correr o risco de ninguém me confundir com um músico de rock and roll. Isso facilitou um pouco as coisas, mas os gerentes dos cafés continuam não gostando. A verdade é que, se você é violonista, poderia até ser Joe Pass que nem assim eles lhe dariam um emprego fixo na praça.

Há também, é claro, o pequeno problema de eu não ser italiano, quanto mais veneziano. Acontece a mesma coisa com aquele tcheco grandão que toca sax alto. As pessoas gostam de nós, os outros músicos precisam de nós, mas não nos encaixamos exatamente no modelo oficial. Toquem e fiquem de boca fechada, só isso, é o que sempre dizem os gerentes dos cafés. Assim os turistas não percebem que vocês não são italianos. Vistam seu terno, ponham seus óculos escuros, penteiem o cabelo para trás, e ninguém vai saber a diferença; só não comecem a falar.

Mas não me saio assim tão mal. As três orquestras dos cafés, sobretudo quando têm que tocar ao mesmo tempo sob seus toldos rivais, todas precisam de um violão: algo suave, sólido, porém amplificado, marcando os acordes lá do fundo. Imagino que vocês estejam pensando que três bandas tocando ao mesmo tempo na mesma praça devem produzir uma confusão danada. Mas a Piazza San Marco é grande o suficiente para comportar as três. Um turista que esteja passeando pela praça ouvirá uma das músicas diminuir enquanto a outra vai aumentando, como se estivesse trocando de emissora de rádio. O que os turistas não conseguem aguentar muito é essa coisa de música clássica, todas essas versões instrumentais de árias famosas. Tudo bem, isto aqui é San Marco, eles não querem os últimos sucessos do pop. De tantos em tantos minutos, porém, querem algo que possam reconhecer, quem sabe uma antiga canção de Julie Andrews ou o tema de algum filme famoso. Lembro-me de uma vez, no verão passado, em que fui passando de banda em banda e toquei "O poderoso chefão" nove vezes em uma só tarde.

Enfim, ali estávamos nós naquela manhã de primavera, tocando diante de uma plateia razoável de turistas, quando vi Tony Gardner sentado sozinho com seu café, quase exatamente na nossa frente, talvez a uns seis metros do nosso toldo. Gente famosa aparece na praça o tempo todo, e nós nunca fazemos espalhafato. Às vezes, quem sabe, no final de algum número, os músicos cochicham entre si. Olhem, aquele ali é o Warren Beatty. Olhem, é o Kissinger. Aquela mulher trabalhou no filme sobre os homens que trocam de rosto um com o outro. Estamos acostumados com isso. Afinal de contas, aqui é a Piazza San Marco. No entanto, quando percebi que aquele ali sentado era Tony Gardner, foi diferente. Eu fiquei animado *mesmo*.

Tony Gardner era o preferido da minha mãe. No meu país, na época dos comunistas, era muito difícil conseguir discos assim, mas a minha mãe tinha praticamente a coleção completa dele. Quando eu era menino, certa vez arranhei um desses preciosos discos. Nosso apartamento era muito abarrotado, e um menino da minha idade simplesmente precisava se mexer de vez em quando, sobretudo durante os meses frios em que não se podia sair de casa. Então eu estava brincando de pular do nosso pequeno sofá para uma poltrona, e em um dos pulos calculei mal a distância e acertei o toca-discos. A agulha arranhou o disco inteiro com um chiado — isso foi muito antes dos CDs — e minha mãe saiu da cozinha e começou a gritar comigo. Eu me senti muito mal, não apenas porque ela estava gritando comigo, mas porque eu sabia que aquele era um dos discos de Tony Gardner, e sabia quanto isso significava para ela. E sabia que aquele disco ali também agora teria aqueles estalos enquanto ele cantasse aquelas canções americanas. Anos depois, quando eu estava trabalhando em Varsóvia e fiquei sabendo da existência dos mercados negros de discos, substituí todos os velhos álbuns de Tony Gardner da minha mãe, incluindo aquele que arranhei. Levei mais de três anos para fazer isso, mas continuei comprando os discos, um de cada vez, e sempre que ia visitá-la levava-lhe mais um.

Então vocês entendem como fiquei animado quando o reconheci, a meros seis metros de distância. No início, quase não consegui acreditar, e talvez tenha me atrasado uma batida para trocar de acorde. Tony Gardner! O que minha querida mãe teria dito se soubesse! Em homenagem a ela, em homenagem à sua memória, eu precisava ir até ele e dizer alguma coisa, mesmo que os outros músicos rissem e dissessem que eu estava me comportando feito um lacaio.

Mas é claro que eu não podia simplesmente sair correndo até ele empurrando mesas e cadeiras. Precisávamos terminar a nossa série. Foi uma agonia, lhes digo, tocar mais três ou quatro números, e a cada segundo eu achava que ele estava prestes a se levantar e ir embora. Mas ele continuou sentado ali, sozinho, encarando seu café, mexendo-o como se estivesse realmente intrigado com aquilo que o garçom lhe trouxera. Ele se parecia com qualquer outro turista americano, vestido com uma camisa polo azul-clara e uma calça cinza larga. Os cabelos, muito escuros e muito brilhantes nas capas dos discos, agora já eram quase brancos, mas ainda fartos, e estavam meticulosamente escovados no mesmo penteado de antigamente. Quando o vi pela primeira vez, ele estava segurando os óculos escuros — duvido que de outra forma pudesse tê-lo reconhecido —, mas, à medida que a nossa série prosseguia e eu continuava olhando, ele os pôs no rosto, tornou a tirá-los, depois tornou a pô-los. Parecia preocupado, e fiquei desapontado ao ver que ele na verdade não estava prestando atenção na nossa música.

Então a série terminou. Saí correndo de debaixo do toldo sem dizer nada aos outros, fui até a mesa de Tony Gardner e então tive um momento de pânico, sem saber como iniciar a conversa. Estava em pé atrás dele, mas alguma espécie de sexto sentido o fez se virar e olhar para mim — acho que foram todos aqueles anos sendo abordado pelos fãs —, e quando eu percebi já estava me apresentando, explicando quanto o admirava, que tocava na banda que ele estivera escutando, que minha mãe era uma grande fã dele, tudo em um fôlego só. Ele ficou escutando com uma expressão grave no rosto, meneando a cabeça de tantos em tantos segundos como se fosse meu médico. Continuei falando, e tudo que ele dizia de vez em quando era: "É mesmo?". Depois de algum tempo, achei que era hora de ir embora, e já havia começado a me afastar quando ele disse:

— Então você vem de um daqueles países comunistas. Deve ter sido difícil.

— Isso tudo já passou. — Dei de ombros, alegre. — Nós agora somos um país livre. Uma democracia.

— Que bom ouvir isso. E aquela que estava tocando era a sua banda. Sente-se. Quer um café?

Eu disse a ele que não queria importuná-lo, mas agora havia algo de levemente insistente no sr. Gardner.

— Não, não, sente-se. Você estava dizendo que a sua mãe gostava dos meus discos.

Então me sentei e lhe contei mais um pouco. Sobre minha mãe, nosso apartamento, os discos do mercado negro. E, embora não conseguisse me lembrar do título dos LPs, comecei a descrever as imagens das capas da forma como me lembrava, e sempre que eu fazia isso ele erguia o dedo no ar e dizia algo como: "Ah, esse aí é o *Inimitável*. *O inimitável Tony Gardner*". Acho que nós dois estávamos gostando daquela brincadeira, mas então percebi o olhar do sr. Gardner se afastar de mim e me virei bem a tempo de ver uma mulher se aproximando da nossa mesa.

Era uma dessas senhoras americanas muito elegantes, com os cabelos, as roupas e o corpo tão bonitos que você só percebe que já não são assim tão jovens quando as vê de perto. De longe, eu poderia tê-la confundido com a modelo de uma dessas revistas de moda de papel brilhante. Mas, quando ela se sentou ao lado do sr. Gardner e ergueu os óculos escuros até a testa, percebi que devia ter pelo menos cinquenta anos, talvez mais. O sr. Gardner me disse:

— Esta é Lindy, minha mulher.

A sra. Gardner me lançou um sorriso um tanto forçado, depois disse ao marido:

— Quem é esse? Você fez um amigo.

— Isso mesmo, meu bem. Estava aqui me divertindo conversando com... Desculpe, amigo, eu não sei o seu nome.

— Jan — respondi depressa. — Mas os amigos me chamam de Janeck.

Lindy Gardner falou:

— Quer dizer que o seu apelido é mais comprido do que o seu nome de verdade? Como pode?

— Não seja grosseira com o rapaz, meu bem.

— Não estou sendo grosseira.

— Não ria do nome do rapaz, meu bem. Isso, boa menina.

Lindy virou-se para mim com uma expressão que parecia impotente.

— Você está entendendo o que ele está falando? Eu ofendi você?

— Não, não — respondi —, de forma alguma, senhora Gardner.

— Ele vive me dizendo que eu sou grosseira com o público. Mas eu não sou. Eu fui grosseira com você agora? — Então ela se virou para o sr. Gardner. — Eu falo com o público de um jeito *natural*, meu amor. É o *meu* jeito. Eu nunca sou grosseira.

— Está certo, meu bem — disse o sr. Gardner —, não vamos criar caso. De toda forma, esse rapaz aqui não é público.

— Ah, não? Então o que ele é? Um sobrinho perdido há muito?

— Seja simpática, meu bem. Este rapaz é um colega. Um músico, um profissional. Estava tocando para nós agora mesmo. — Ele gesticulou em direção ao toldo.

— Ah, certo! — Lindy Gardner tornou a se virar para mim. — Você estava tocando ali agorinha? Ah, foi bonito. Estava no acordeão, não é? Muito bonito!

— Muito obrigado. Na realidade eu sou o violonista.

— Violonista? Está de brincadeira comigo. Eu estava olhando para você não faz nem um minuto. Sentado bem ali, ao lado do contrabaixista, tocando uma música tão linda no seu acordeão.

— Me perdoe, na verdade quem estava no acordeão era Carlo. O careca alto...

— Tem certeza? Não está de brincadeira comigo?

— Meu bem, eu já lhe disse. Não seja grosseira com o rapaz.

Ele não havia exatamente gritado, mas de repente sua voz soou dura e zangada, e então fez-se um estranho silêncio. Quem o quebrou foi o próprio sr. Gardner, dizendo carinhosamente:

— Desculpe, meu bem. Não quis ser ríspido com você.

Ele estendeu a mão e segurou uma das de Lindy. Eu meio que esperava que ela fosse rejeitá-lo, mas em vez disso ela se acomodou na cadeira para ficar mais perto dele e pôs a mão livre sobre as mãos unidas deles. Passaram alguns segundos sentados assim, o sr. Gardner de cabeça baixa, a mulher com o olhar perdido por sobre o ombro dele e pela praça na direção da Basílica, embora os olhos dela não parecessem estar vendo nada. Durante aqueles instantes, foi como se eles tivessem esquecido não apenas de mim, sentado ali com eles, mas também de todas as outras pessoas da *piazza*. Então ela disse, quase em um sussurro.

— Tudo bem, amor. A culpa foi minha. Irritar você assim.

Passaram mais algum tempo sentados assim, de mãos dadas. Então ela deu um suspiro, soltou a mão do sr. Gardner e olhou para mim. Já tinha olhado para mim antes, mas dessa vez foi diferente. Dessa vez pude sentir seu charme. Era como se ela tivesse um dial que fosse de zero a dez, e comigo, naquele instante, tivesse decidido colocá-lo em seis ou sete, mas pude senti-lo com muita força, e se ela tivesse me pedido algum favor — se, digamos, tivesse me pedido que cruzasse a praça e lhe comprasse flores — eu o teria feito de bom grado.

— Janeck — disse ela. — É esse o seu nome, não é? Me desculpe, Janeck. Tony tem razão. Eu não devia ter falado com você do jeito que falei.

— Senhora Gardner, sério, por favor não se preocupe...

— E atrapalhei a conversa de vocês dois. Aposto que era uma conversa de músicos. Sabem de uma coisa? Vou deixar vocês em paz para continuarem conversando.

— Não precisa ir embora, meu bem — disse o sr. Gardner.

— Ah, preciso sim, amor. Estou absolutamente *louca* para ir dar uma olhada naquela loja da Prada. Só vim aqui avisar você que vou demorar mais do que eu pensava.

— Certo, meu bem. — Pela primeira vez, Tony Gardner se empertigou e respirou fundo. — Contanto que tenha certeza de que está feliz fazendo isso.

— Vou me divertir loucamente naquela loja. Então boa conversa para vocês dois. — Ela se levantou e tocou meu ombro. — Cuide-se, Janeck.

Ficamos olhando ela se afastar, e então o sr. Gardner me fez algumas perguntas sobre ser músico em Veneza, e mais especificamente sobre a orquestra do Quadri, que tinha começado a tocar naquele exato instante. Ele não pareceu escutar minhas respostas com muita atenção, e eu estava prestes a pedir licença e ir embora quando de repente ele disse:

— Quero lhe fazer uma proposta, amigo. Deixe-me lhe dizer em que estou pensando, e você pode recusar, se preferir. — Ele se inclinou para a frente e baixou a voz. — Posso lhe contar uma coisa? A primeira vez em que eu e Lindy estivemos aqui em Veneza foi na nossa lua de mel. Vinte e sete anos atrás. E, apesar de todas as lembranças felizes deste lugar, nós nunca mais voltamos, pelo menos não juntos. Então, quando estávamos planejando esta viagem, esta nossa viagem especial, pensamos que tínhamos de passar uns dias em Veneza.

— É o seu aniversário de casamento, senhor Gardner?

— Aniversário de casamento? — Ele pareceu surpreso.

— Desculpe — falei. — Só achei isso porque o senhor disse que esta era sua viagem especial.

Ele continuou com uma expressão surpresa por algum tempo e então riu, uma risada alta e sonora, e eu de repente me lembrei de uma canção específica que minha mãe costumava tocar o tempo todo em que ele recita um trecho no meio da canção, algo sobre não ligar para o fato de sua mulher tê-lo deixado, depois solta uma risada sardônica. Agora essa mesma risada ecoava pela praça. Então ele disse:

— Aniversário de casamento? Não, não é nosso aniversário de casamento. Mas o que vou lhe propor não é muito diferente. Porque eu quero fazer uma coisa bem romântica. Quero fazer uma serenata para ela. Uma serenata de verdade, ao estilo de Veneza. É aí que você entra. Você toca o seu violão e eu canto. Fazemos isso em uma gôndola, e deslizamos sob a janela enquanto eu canto para ela. Nós alugamos um *palazzo* não muito longe daqui. O quarto de dormir tem vista para o canal. Depois que anoitecer vai ser perfeito. As luzes nas paredes dos prédios iluminam na medida certa. Você e eu em uma gôndola, ela aparece na janela. Todas as músicas preferidas dela. Não precisa durar muito tempo, ainda está fazendo bastante frio à noite. Só umas três ou quatro músicas, é o que eu estava pensando. Compensarei você muito bem. O que me diz?

— Senhor Gardner, eu ficaria absolutamente honrado. Como eu lhe disse, o senhor foi uma figura importante para mim. Quando está pensando em fazer isso?

— Se não chover, por que não hoje à noite? Por volta das oito e meia? Nós jantamos cedo, então já vamos estar em casa. Eu invento alguma desculpa, saio do apartamento e venho encontrar você. Vou contratar uma gôndola, nós voltamos juntos pelo canal e paramos embaixo da janela. Vai ser perfeito. O que me diz?

Vocês provavelmente podem imaginar que isso era como um sonho virando realidade. Além do mais, parecia uma ideia encantadora aquele casal — ele com sessenta e poucos anos, ela com cinquenta e poucos — se comportar como dois adolescentes apaixonados. Na verdade, era uma ideia tão encantadora que quase, mas não por completo, me fez esquecer a cena que havia acabado de testemunhar entre os dois. O que quero dizer é que, mesmo nesse estágio, eu já sabia bem lá no fundo que as coisas não seriam tão simples como ele estava dizendo.

O sr. Gardner e eu passamos os poucos minutos seguintes conversando sobre todos os detalhes: as músicas que ele queria, os tons que preferia, essas coisas todas. Então chegou a hora de eu voltar para baixo do toldo e para a nossa próxima série, de modo que me levantei, cumprimentei-o com um aperto de mão e lhe disse que ele podia contar comigo sem falta naquela noite.

As ruas estavam escuras e silenciosas quando fui me encontrar com o sr. Gardner naquela noite. Nessa época, eu sempre me perdia quando me aventurava muito além da Piazza San Marco, então, apesar de ter saído com bastante antecedência, apesar de conhecer a pontezinha onde o sr. Gardner havia me dito para encontrá-lo, mesmo assim cheguei alguns minutos atrasado.

Ele estava em pé debaixo de um poste de luz, usando um terno escuro amarfanhado, e sua camisa estava desabotoada até o terceiro ou quarto botão, de modo que era possível ver os pelos de seu peito. Quando pedi desculpas pelo atraso, ele disse:

— O que são uns minutinhos? Lindy e eu estamos casados há vinte e sete anos. O que são uns minutinhos?

Ele não estava zangado, mas sua disposição parecia grave e solene — nem um pouco romântica. Atrás dele estava a gôndola, oscilando delicadamente sobre a água, e vi que o gondoleiro era Vittorio, um sujeito de quem eu não gosto muito. Na minha frente, Vittorio é sempre simpático, mas eu sei — sabia na época — que ele anda por aí espalhando todo tipo de boato sujo, tudo mentira, sobre gente como eu, gente que ele chama de "estrangeiros dos países novos". É por isso que, quando ele me cumprimentou nessa noite como um irmão, eu simplesmente meneei a cabeça e esperei sem dizer nada enquanto ele ajudava o sr. Gardner a subir na gôndola. Então passei-lhe meu violão — eu trouxera meu violão clássico, não o de boca oval — e subi também.

O sr. Gardner ficou mudando de posição na proa da gôndola, e em determinado momento se sentou com tanta força que quase viramos. Mas ele não pareceu perceber e, enquanto nos afastávamos da margem, ficou olhando para dentro d'água.

Avançamos em silêncio durante alguns minutos, passando por prédios escuros e sob pontes baixas. Ele então emergiu de sua profunda reflexão e disse:

— Escute, amigo. Sei que já combinamos uma série para hoje à noite. Mas estive pensando. Lindy adora aquela música "By the Time I Get to Phoenix". Eu a gravei uma vez, muito tempo atrás.

— Claro, senhor Gardner. Minha mãe sempre dizia que a sua versão era melhor do que a do Sinatra. Ou do que aquela famosa do Glenn Campbell.

O sr. Gardner aquiesceu, e então passei algum tempo sem conseguir ver seu rosto. Vittorio fez seu grito de gondoleiro ecoar pelas paredes antes de conduzir a gôndola por uma curva.

— Eu a cantava sempre para ela — disse o sr. Gardner. — Acho que ela gostaria de ouvi-la hoje à noite, sabe? Você conhece a melodia?

A esta altura eu já tinha tirado meu violão do estojo, então toquei alguns acordes da canção.

— Suba mais — disse ele. — Pode subir até mi bemol. Foi assim que eu fiz no disco.

Então toquei os acordes no tom que ele indicou, e depois de talvez uma estrofe inteira o sr. Gardner começou a cantar bem baixinho, sem soltar a voz por inteiro, como se não recordasse muito bem a letra. Mas sua voz ecoava bastante no canal silencioso. Na verdade, o som era lindo. E por alguns instantes foi como se eu fosse criança novamente, de volta àquele apartamento, deitado no carpete enquanto minha mãe ficava sentada no sofá, exausta, ou talvez com o coração partido, enquanto o disco de Tony Gardner girava no canto da sala.

De repente o sr. Gardner parou de cantar e disse:

— Muito bem. Vamos fazer "Phoenix" em mi bemol. Depois quem sabe "I Fall in Love Too Easily" como combinamos. E terminamos com "One for My Baby". E pronto. Ela não vai escutar mais do que isso.

Em seguida, ele pareceu mergulhar novamente nos próprios pensamentos, e seguimos deslizando pela escuridão ao som das suaves remadas de Vittorio.

— Senhor Gardner — falei depois de algum tempo —, espero que não se incomode com a minha pergunta. Mas a senhora Gardner está esperando este recital? Ou vai ser uma surpresa maravilhosa?

Ele soltou um profundo suspiro e disse:

— Acho que vamos ter de classificar isto aqui na categoria de surpresa maravilhosa. — Então arrematou. — Só Deus sabe como ela vai reagir. Talvez nem consigamos chegar a "One for My Baby".

Vittorio nos conduziu por outra curva, e de repente ouviram-se risos e música, e passamos diante de um grande restaurante todo iluminado. Todas as mesas pareciam ocupadas, os garçons corriam de um lado para o outro, e os clientes pareciam muito felizes, embora não devesse estar fazendo muito calor ali à beira do canal naquela época do ano. Depois do silêncio e da escuridão que havíamos atravessado, aquele restaurante foi um pouco perturbador. Nós é que parecíamos estar parados, observando do cais a passagem daquele barco festivo e cintilante. Notei que alguns rostos olhavam em nossa direção, mas ninguém prestou muita atenção em nós. Então o restaurante ficou para trás e eu disse:

— Engraçado. Imagine o que aqueles turistas não iriam fazer se soubessem que um barco acabou de passar com o lendário Tony Gardner a bordo...

Vittorio, que não entende muito bem inglês, compreendeu

o sentido da frase e deu uma risadinha. Mas o sr. Gardner passou algum tempo sem reagir. Estávamos novamente no escuro, atravessando um estreito canal e passando por vãos de porta mal iluminados, quando ele disse:

— Meu amigo, você vem de um país comunista. É por isso que não percebe como essas coisas funcionam.

— Senhor Gardner — falei —, meu país não é mais comunista. Somos um povo livre agora.

— Desculpe. Eu não quis denegrir o seu país. Vocês são um povo corajoso. Espero que conquistem a paz e a prosperidade. Mas a minha intenção, amigo, o que eu queria lhe dizer é que, vindo de onde você vem, naturalmente há muitas coisas que você ainda não entende. Assim como haveria muitas coisas que eu não iria entender no seu país.

— Acho que tem razão, senhor Gardner.

— Essas pessoas pelas quais acabamos de passar. Se eu tivesse chegado para elas e dito: "Ei, algum de vocês se lembra de Tony Gardner?", talvez algumas delas, a maioria até, tivesse respondido que sim. Quem pode saber? Mas, passando da forma que passamos, mesmo que elas tivessem me reconhecido, será que ficariam animadas? Acho que não. Não iriam largar os garfos nem interromper seus interlúdios à luz de velas. Por que deveriam? É só um crooner de antigamente.

— Não acredito no que está dizendo, senhor Gardner. O senhor é um clássico. É como Sinatra ou Dean Martin. Alguns clássicos nunca saem de moda. Não são como esses pop stars.

— É muita bondade sua dizer isso, amigo. Sei que sua intenção é boa. Mas justo nesta noite não é hora de ficar brincando comigo.

Eu estava prestes a protestar, mas alguma coisa no comportamento dele me fez deixar de lado aquele assunto. Então seguimos em frente, e ninguém disse mais nada. Para ser honesto, eu começava a me perguntar em que tinha me metido, que história toda de serenata era aquela. Afinal de contas, aquele casal era americano. Até onde eu sabia, quando o sr. Gardner começasse a cantar, a sra. Garden poderia muito bem aparecer na janela com uma arma e atirar em nós.

Talvez os pensamentos de Vittorio estivessem indo na mesma direção, pois, quando passamos debaixo de um poste na lateral de uma parede, ele me lançou um olhar como quem diz: "Que sujeito mais estranho, hein, *amico*?". Mas eu não reagi. Não iria me aliar com gente da laia dele contra o sr. Gardner. Segundo Vittorio, estrangeiros como eu viviam roubando os turistas, jogando lixo no canal e, de modo geral, estragando a porcaria da cidade inteira. Alguns dias, se está de mau humor, nos acusa de sermos ladrões — estupradores, até. Certa vez lhe perguntei, bem na sua cara, se era verdade que ele andava por aí dizendo coisas desse tipo, e ele jurou que era tudo um monte de mentiras. Como poderia ser racista tendo uma tia judia que amava como se fosse a própria mãe? Mas um dia eu estava matando tempo entre dois sets durante a tarde, curvado sobre uma ponte em Dorsoduro, quando uma gôndola passou lá embaixo. Havia três turistas sentados nela, e Vittorio, em pé ao lado deles com seu remo, discorria para quem quisesse ouvir sobre as mesmas baboseiras. Então ele pode cruzar olhares comigo quanto quiser, mas não vai ganhar a minha simpatia.

— Deixe-me lhe contar um segredinho — disse o sr. Gardner de repente. — Um segredinho sobre apresentações ao vivo. De profissional para profissional. É bem simples. Você tem de saber alguma coisa, não importa o que seja, tem de saber alguma coisa sobre a sua plateia. Alguma coisa que para você, na sua mente, distinga essa plateia de outra para a qual tenha cantado na véspera. Digamos que você esteja em Milwaukee. Precisa se perguntar o que a plateia de Milwaukee tem de diferente, o que ela tem de *especial*? O que a torna diferente de uma plateia de Madison? Se não conseguir pensar em nada, continue tentando até encontrar. Milwaukee, Milwaukee. Eles têm ótimas costeletas de porco em Milwaukee. Isso serve, é isso que você vai usar quando for se apresentar lá. Não precisa dizer nada sobre isso para a plateia, o importante é o que está pensando enquanto canta para ela. Essas pessoas na sua frente são as que comem boas costeletas de porco. Elas têm padrões exigentes em se tratando de costeletas de porco. Entende o que estou dizendo? Assim a plateia se transforma em alguém que você conhece, alguém para quem você pode se apresentar. Pronto, é esse o meu segredo. De profissional para profissional.

— Bem, obrigado, senhor Gardner. Nunca pensei nisso dessa forma. Não vou esquecer uma dica de alguém como o senhor.

— Então, hoje — continuou ele —, nós estamos nos apresentando para Lindy. Lindy é a plateia. Então vou lhe contar algo sobre Lindy. Quer que eu lhe fale sobre Lindy?

— É claro, senhor Gardner — respondi. — Quero muito que me fale sobre ela.

Durante os vinte minutos seguintes, ou algo assim, ficamos sentados naquela gôndola, dando voltas e mais voltas, enquanto o sr. Gardner falava. Algumas vezes, sua voz quase virava um murmúrio, como se estivesse falando sozinho. Outras vezes, quando uma luminária ou uma janela ao passar lançavam um pouco de luz sobre o nosso barco, ele se lembrava de mim, aumentava a voz e dizia algo do tipo: "Entende o que estou dizendo, amigo?".

Sua mulher, disse-me ele, vinha de uma pequena cidade do Minnesota, no coração dos Estados Unidos, onde as professoras da escola a repreendiam porque ela passava o tempo todo olhando revistas de estrelas de cinema em vez de estudar.

— O que essas senhoras nunca perceberam foi que Lindy tinha grandes planos. E olhe só para ela agora. Rica, linda, viajada pelo mundo inteiro. E essas professoras, onde elas estão hoje? Que tipo de vida tiveram? Se tivessem olhado mais revistas de cinema, se tivessem tido mais sonhos, elas também poderiam ter um pouco do que Lindy tem hoje.

Aos dezenove anos, ela pegara carona até a Califórnia querendo chegar a Hollywood. Em vez disso, acabara nos arredores de Los Angeles trabalhando como garçonete em um restaurante de beira de estrada.

— Foi surpreendente — disse o sr. Gardner. — Esse restaurante, esse lugar sem atrativo nenhum na beira de uma estrada, acabou sendo o melhor lugar aonde ela poderia ter ido parar. Porque era para lá que iam todas as moças ambiciosas, de manhã à noite. Era ali que elas se encontravam, sete, oito, uma dúzia delas, para pedir seus cafés, seus cachorros-quentes e passar horas sentadas conversando.

Essas moças, todas um pouco mais velhas do que Lindy, vinham de todos os cantos dos Estados Unidos e moravam na Grande Los Angeles havia pelo menos dois ou três anos. Iam ao restaurante trocar fofocas e histórias tristes, debater táticas, acompanhar o progresso umas das outras. Mas o principal atrativo do lugar era Meg, mulher de quarenta e poucos anos, a garçonete com quem Lindy trabalhava.

— Para aquelas moças, Meg era sua irmã mais velha, sua fonte de sabedoria. Porque ela um dia havia sido igualzinha a elas. Você precisa entender que essas moças eram sérias, eram moças realmente ambiciosas, determinadas. Será que conversavam sobre roupas, sapatos e maquiagem como outras moças? Com certeza sim. Mas elas só falavam sobre que roupas, que sapatos e que maquiagem poderiam ajudá-las a se casar com alguém famoso. Será que conversavam sobre cinema? Será que conversavam sobre o cenário musical? Pode apostar que sim. Mas elas conversavam sobre quais atores de cinema ou cantores eram solteiros, quais tinham casamentos infelizes, quais estavam se divorciando. E Meg era capaz de lhes dizer tudo isso, entende, e muito, muito mais. Meg já tinha percorrido essa estrada antes delas. Em se tratando de casamento com alguém famoso, ela conhecia todas as regras, todos os truques. E Lindy ficava ali sentada com elas absorvendo tudo aquilo. Aquele restaurantezinho de cachorro-quente foi a sua Harvard, a sua Yale. Uma garota de dezenove anos do Minnesota? Eu agora estremeço só de pensar no que poderia ter acontecido com ela. Mas ela teve sorte.

— Senhor Gardner — falei —, desculpe interromper. Mas, se essa tal de Meg era tão sabida, como é que ela própria não estava casada com alguém famoso? Por que estava servindo cachorros-quentes nesse restaurante?

— Boa pergunta, mas você não entende totalmente como essas coisas funcionam. Muito bem, essa senhora, essa Meg, não tinha tido sucesso. Mas o importante era que tinha visto outras terem sucesso. Está entendendo, amigo? Ela havia sido igualzinha àquelas moças e vira algumas terem sucesso, outras fracassarem. Vira as armadilhas, vira as escadarias de ouro. Podia lhes contar todas as histórias, e aquelas garotas escutavam. E algumas delas aprendiam. Lindy, por exemplo. Como eu disse, isso foi a sua Harvard. Isso a transformou no que ela é. Deu-lhe a força de que precisou mais tarde, e, meu rapaz, como ela precisou. Ela levou seis anos para conseguir uma chance. Você consegue imaginar isso? Seis anos de manobras, de planos, seis anos na berlinda desse jeito. Sendo derrubada repetidas vezes. Mas no nosso ramo é assim. Você não pode se encolher e desistir depois dos primeiros socos. As que desistem, você pode vê-las em qualquer lugar, casadas com algum borra-botas em cidades sem importância. Mas apenas algumas, aquelas iguais a Lindy, aprendem com cada soco e voltam ainda mais fortes, mais duronas, voltam dispostas à briga e com raiva. Você acha que Lindy não foi humilhada? Mesmo com toda a sua beleza e charme? O que as pessoas não percebem é que a beleza sozinha não adianta. Se você não souber usá-la, vão tratá-la como uma puta. Enfim, depois de seis anos ela finalmente conseguiu sua chance.

— Foi quando ela o conheceu, senhor Gardner?

— Eu? Não, não. Eu demorei um pouco mais a aparecer. Ela se casou com Dino Hartman. Nunca ouviu falar em Dino?

— Nesse ponto, o sr. Gardner soltou uma risada levemente cruel.

— Coitado do Dino. Acho que os discos dele não devem ter chegado aos países comunistas. Mas Dino era bem famoso naquela época. Cantava muito em Las Vegas, ganhou alguns discos de ouro. Como eu disse, foi a grande chance de Lindy. Quando a conheci, ela era casada com Dino. A velha Meg tinha explicado que é sempre assim que acontece. É claro que uma garota pode ter sorte logo de cara, chegar direto ao topo, casar-se com um Sinatra ou um Brando. Mas em geral não é assim que acontece. Uma garota precisa estar preparada para descer do elevador no segundo andar, dar uma passeada. Precisa se acostumar com o ar desse andar. Então, quem sabe um dia, nesse segundo andar, ela vai esbarrar com alguém que desceu da cobertura por alguns minutos, talvez para buscar alguma coisa. E esse cara vai dizer a ela: ei, o que acha de subir comigo, subir até o último andar? Lindy sabia que em geral é assim que acontece. Ela não estava fraquejando quando se casou com Dino, não estava diminuindo sua ambição. E Dino era um cara decente. Sempre gostei dele. Foi por isso que, mesmo tendo caído de amores por Lindy no primeiro instante em que a vi, não tomei nenhuma atitude. Fui um perfeito cavalheiro. Depois descobri que foi isso que deixou Lindy ainda mais decidida. Cara, é preciso admirar uma garota dessas! Vou lhe dizer uma coisa, amigo, naquele tempo eu era uma estrela de primeira grandeza. Acho que devia ser mais ou menos na época em que a sua mãe me escutava. Mas a estrela de Dino estava caindo depressa. Foram tempos difíceis para muitos cantores. Tudo estava mudando. A moçada escutava Beatles, Rolling Stones. Coitado do Dino, sua música se parecia demais com a do Bing Crosby. Ele tentou gravar um disco de bossa nova que só provocou risadas. Estava definitivamente na hora de Lindy pular fora. Ninguém poderia ter nos acusado de nada nessa situação. Não acho sequer que Dino tenha nos culpado de fato. Então eu agi. Foi assim que ela subiu até a cobertura.

"Nós nos casamos em Vegas, e mandamos o hotel encher a banheira com champanhe. Sabe essa música que vamos tocar hoje, 'I Fall in Love Too Easily'? Sabe por que eu a escolhi? Quer saber? Nós uma vez estávamos em Londres, pouco depois de nos casarmos. Subimos para o quarto depois do café da manhã e a moça da limpeza estava lá arrumando nosso quarto. Só que Lindy e eu estávamos excitados feito coelhos. Então entramos, e podíamos ouvir a arrumadeira passando aspirador na saleta, mas não conseguíamos vê-la, ela estava do outro lado da divisória. Então passamos na ponta dos pés, como se fôssemos crianças, sabe? Nos esgueiramos até o quarto e fechamos a porta. Podíamos ver que a arrumadeira já tinha terminado o quarto, então talvez não precisasse voltar, mas não tínhamos certeza. De toda forma, não estávamos nem aí. Arrancamos as roupas, fizemos amor em cima da cama, e o tempo todo a arrumadeira lá do outro lado, andando pela nossa suíte, sem saber que tínhamos voltado. Estou dizendo a você, nós estávamos excitados, mas depois de algum tempo começamos a achar aquilo tudo tão engraçado que simplesmente não conseguíamos parar de rir. Depois de terminar, ficamos ali deitados, abraçados, e a arrumadeira continuava no quarto, e sabe o que ela fez? Começou a cantar! Já tinha acabado de passar o aspirador, então começou a cantar o mais alto possível, e, rapaz, que voz horrível aquela mulher tinha! Nós ríamos, ríamos sem parar, mas tentando não fazer barulho. E o que ela fez? Parou de cantar e ligou o rádio. E de repente começamos a ouvir Chet Baker. Ele estava cantando 'I Fall in Love Too Easily', bem devagar, bem suave. E Lindy e eu simplesmente ficamos ali deitados na cama, escutando Chet cantar. E depois de algum tempo eu comecei a cantar junto, bem baixinho, a acompanhar Chet Baker no rádio enquanto abraçava Lindy. Foi assim. É por isso que nós vamos cantar essa música hoje. Mas não sei se ela vai se lembrar. Quem pode saber?"

O sr. Gardner parou de falar, e vi que ele enxugava algumas lágrimas. Vittorio nos conduziu por outra curva e percebi que estávamos passando pelo restaurante outra vez. O lugar parecia ainda mais animado do que antes, e o pianista, um conhecido meu chamado Andrea, agora tocava em um canto.

Quando tornamos a deslizar em direção ao escuro, eu disse:

— Senhor Gardner, eu sei que isto não é da minha conta. Mas posso ver que talvez as coisas não andem muito bem ultimamente entre o senhor e a senhora Gardner. Quero que o senhor saiba que eu entendo sobre esse tipo de coisa. Minha mãe ficava triste com frequência, talvez como o senhor está agora. Achava que tinha encontrado alguém, ficava feliz e me dizia que o tal cara seria meu novo pai. Nas primeiras vezes eu acreditei nela. Depois disso, sabia que não iria funcionar. Mas a minha mãe nunca parou de acreditar. E sempre que ficava deprimida, talvez como o senhor está agora, sabe o que ela fazia? Punha os seus discos para tocar e cantava junto. Passou todos aqueles longos invernos, naquele nosso apartamento minúsculo, sentada com os joelhos encolhidos sob o corpo, segurando um copo de alguma bebida, cantando baixinho. E algumas vezes, eu me lembro disso, senhor Gardner, os nossos vizinhos do andar de cima batiam no teto, principalmente quando o senhor estava cantando uma daquelas músicas mais rapidinhas, como "High Hopes" ou "They All Laughed". Eu costumava observar minha mãe com atenção, mas era como se ela não tivesse ouvido nada, ficava escutando o senhor, meneando a cabeça ao ritmo da música, mexendo os lábios para acompanhar a letra. Senhor Gardner, eu queria dizer isso ao senhor. A sua música ajudou minha mãe a passar por esses momentos, e deve ter ajudado milhões de outras pessoas. E é justo que ajude o senhor também. — Eu dei uma risadinha que quis que soasse encorajadora, mas a risada saiu mais alta do que eu pretendia. — Pode contar comigo hoje à noite, senhor Gardner. Vou dar o melhor de mim. Vou tocar tão bem quanto qualquer orquestra, o senhor vai ver. E a senhora Gardner vai nos ouvir, e quem sabe? Talvez as coisas se ajeitem de novo entre vocês. Todo casal tem seus momentos difíceis.

O sr. Gardner sorriu.

— Você é um bom rapaz. Agradeço por me ajudar hoje à noite. Mas não temos mais tempo para conversar. Lindy já chegou ao quarto. Estou vendo a luz acesa.

Estávamos passando diante de um *palazzo* pelo qual já havíamos passado pelo menos duas vezes, e então percebi que Vittorio estava andando em círculos. O sr. Gardner aguardava a luz de uma janela específica se acender, e a cada vez que a via ainda às escuras nós dávamos mais uma volta. Dessa vez, porém, a janela do terceiro andar estava acesa, as persianas abertas, e dali debaixo onde estávamos podíamos ver uma pequena parte do telhado com suas vigas de madeira escura. O sr. Gardner fez um sinal para Vittorio, mas ele já havia parado de remar e fomos deslizando devagar até a gôndola ficar bem embaixo da janela.

O sr. Gardner se levantou, fazendo o barco balançar novamente de forma alarmante, e Vittorio teve de agir depressa para nos equilibrar. Então o sr. Gardner chamou, baixo demais:

— Lindy? Lindy? — Por fim, chamou bem mais alto: — Lindy!

A mão de alguém abriu mais ainda as persianas, e uma silhueta apareceu na sacada. Havia uma luminária presa à parede do prédio não muito acima de nós, mas a luz não estava boa, e a sra. Gardner não era muito mais do que uma silhueta. No entanto eu podia ver que ela havia prendido os cabelos desde que eu a vira na *piazza*, talvez para o jantar dos dois mais cedo.

— É você, amor? — Ela se inclinou por cima da balaustrada. — Pensei que tivesse sido sequestrado ou alguma coisa assim. Você me deixou aflita.

— Não seja boba, meu bem. O que poderia acontecer em uma cidade como esta? De toda forma, eu deixei aquele recado.

— Eu não vi recado nenhum, amor.

— Eu deixei um recado. Só para você não ficar aflita.

— Onde está esse recado? O que dizia?

— Não me lembro, meu bem. — O sr. Gardner agora soava irritado. — Era um recado normal, só isso. Sabe, dizendo que eu tinha saído para comprar cigarro, coisa assim.

— É isso que você está fazendo aí agora? Comprando cigarro?

— Não, meu bem. Isto aqui é diferente. Eu vou cantar para você.

— É algum tipo de brincadeira?

— Não, meu bem, não é brincadeira. Isto aqui é Veneza. É isso que as pessoas fazem aqui. — Gesticulou em volta para abarcar a mim e Vittorio, como se o fato de estarmos ali provasse o que ele dizia.

— Está meio frio aqui fora para mim, amor.

O sr. Gardner soltou um grande suspiro.

— Então pode escutar de dentro do quarto. Volte para o quarto, meu bem, e se acomode em um lugar confortável. Basta deixar essas janelas abertas e vai poder nos escutar bem.

Ela continuou olhando para ele lá embaixo por algum tempo, e ele continuou olhando para cima, e nenhum dos dois disse nada. Então ela entrou, e o sr. Gardner pareceu desapontado, muito embora aquilo fosse exatamente o que ele lhe sugerira fazer. Ele abaixou a cabeça com outro suspiro, e eu vi que estava hesitando em prosseguir. Então falei:

— Vamos lá, senhor Gardner, vamos começar. Vamos tocar "By the Time I Get to Phoenix".

E toquei delicadamente uma pequena frase introdutória, ainda sem batida, o tipo de coisa que podia conduzir a uma canção ou, com a mesma facilidade, se extinguir. Tentei fazer aquilo soar como os Estados Unidos, bares tristes de beira de estrada, autoestradas largas e compridas, e acho que estava pensando na minha mãe também, na forma como eu havia entrado no quarto e a visto no sofá fitando a capa do disco com sua imagem de uma estrada americana, ou talvez do cantor sentado dentro de um carro americano. O que quero dizer é que tentei tocar de um jeito que minha mãe teria reconhecido como saído daquele mesmo mundo, o mundo da capa do seu disco.

Então, antes de eu perceber, antes de começar qualquer batida regular, o sr. Gardner começou a cantar. A sua postura, em pé na gôndola, era muito instável, e tive medo de que ele perdesse o equilíbrio a qualquer momento. Mas a sua voz saiu igualzinha a como eu me lembrava: suave, quase roufenha, mas bem encorpada, como se estivesse passando por um microfone invisível. E, como todos os melhores cantores americanos, havia em sua voz um certo cansaço, e mesmo um toque de hesitação, como se ele não fosse um homem acostumado a revelar seu coração daquela forma. É assim que fazem todos os grandes.

Tocamos essa canção cheia de viagens e despedidas. Um homem americano abandona sua mulher. Não para de pensar nela enquanto vai passando pelas sucessivas cidadezinhas, pelas sucessivas estrofes, Phoenix, Alburquerque, Oklahoma, guiando o carro por uma estrada comprida de um jeito que minha mãe nunca conseguiu. Se ao menos pudéssemos deixar as coisas para trás desse jeito — acho que é isso que minha mãe teria pensado. Se ao menos a tristeza pudesse ser assim.

Chegamos ao fim e o sr. Gardner disse:

— Certo, vamos passar direto para a próxima. "I Fall in Love Too Easily."

Como era a primeira vez que eu tocava com o sr. Gardner, precisava tomar muito cuidado com tudo, mas nos saímos razoavelmente bem. Depois do que ele havia me contado sobre essa canção, fiquei olhando para a janela, mas não houve sinal da sra. Gardner, nenhum movimento, nenhum som, nada. Então terminamos, e o silêncio e a escuridão se adensaram à nossa volta. Em algum lugar ali perto, ouvi um vizinho abrindo persianas, quem sabe para escutar melhor. Mas nada veio da janela da sra. Gardner.

Tocamos "One for My Baby" bem baixinho, praticamente sem batida, e depois tudo foi silêncio outra vez. Continuamos com os olhos erguidos para a janela, e então, por fim, depois de talvez um minuto inteiro, escutamos. Era preciso esforço para discernir o som, mas não havia como confundi-lo. A sra. Gardner estava lá em cima soluçando.

— Conseguimos, senhor Gardner! — sussurrei. — Conseguimos. Nós a pegamos pelo coração.

Mas o sr. Gardner não parecia satisfeito. Sacudiu a cabeça, cansado, sentou-se e gesticulou para Vittorio.

— Dê a volta até o outro lado. Está na hora de eu entrar.

Quando começamos novamente a nos mover, achei que ele estivesse evitando olhar para mim, quase como se estivesse com vergonha do que havíamos acabado de fazer, e comecei a pensar que talvez aquele plano todo tivesse sido alguma espécie de brincadeira maliciosa. Aquelas canções todas poderiam muito bem ter significados horríveis para a sra. Gardner. Então larguei meu violão e fiquei ali sentado, talvez um pouco emburrado, e foi assim que prosseguimos durante algum tempo.

Então saímos para um canal bem mais largo, e na mesma hora um táxi-lancha passou correndo por nós na direção contrária, formando ondas debaixo da gôndola. Mas já estávamos quase em frente ao *palazzo* do sr. Gardner e, enquanto Vittorio nos deixava flutuar em direção ao embarcadouro, eu disse:

— Senhor Gardner, o senhor foi uma parte importante da minha juventude. E esta noite foi muito especial para mim. Se nos despedíssemos agora e eu nunca mais o visse, sei que ficaria me perguntando uma coisa pelo resto da vida. Então, senhor Gardner, por favor me diga. A senhora Gardner estava chorando agora porque estava feliz ou porque estava triste?

Pensei que ele não fosse responder. Na luz mortiça, sua silhueta não passava de uma forma corcunda na proa do barco. Porém, enquanto Vittorio amarrava a corda, ele disse em voz baixa:

— Acho que ela gostou de me ouvir cantar assim. Mas com certeza está triste. Nós dois estamos tristes. Vinte e sete anos é muito tempo, e depois desta viagem nós vamos nos separar. É nossa última viagem juntos.

— Eu sinto muito ouvir isso, senhor Gardner, sinto mesmo — falei com delicadeza. — Imagino que muitos casamentos terminem, mesmo depois de vinte e sete anos. Mas pelo menos vocês puderam se despedir assim. Férias em Veneza. Uma serenata em uma gôndola. Não deve haver muitos casais que se separam e continuam tão civilizados.

— Mas por que não seríamos civilizados? Nós ainda nos amamos. É por isso que ela está chorando lá em cima. Porque ainda me ama tanto quanto eu ainda a amo.

Vittorio já havia descido para o embarcadouro, mas o sr. Gardner e eu continuamos sentados no escuro. Eu estava esperando ele dizer mais, e de fato, após alguns instantes, ele prosseguiu:

— Como eu disse a você, eu me apaixonei por Lindy na primeira vez em que a vi. Mas será que ela me amava nessa época? Duvido que isso sequer tenha passado pela cabeça dela. Eu era uma estrela, era só isso que importava para ela. Eu era aquilo com que ela sonhava, aquilo que havia planejado conquistar lá naquele restaurantezinho. O fato de me amar ou não pouco importava. Mas vinte e sete anos de casamento fazem coisas engraçadas. Muitos casais começam se amando, depois se cansam um do outro e acabam se odiando. Algumas vezes, porém, acontece o contrário. Foi preciso alguns anos, mas aos poucos Lindy começou a me amar. No início não ousei acreditar, só que depois de algum tempo não havia como acreditar em outra coisa. Um toquezinho no meu ombro quando estávamos nos levantando da mesa. Um sorrisinho engraçado do outro lado da sala quando não havia nenhum motivo para sorrir, só de brincadeira. Aposto que ela ficou muito surpresa, mas foi isso que aconteceu. Depois de cinco ou seis anos, descobrimos que nos sentíamos à vontade um com o outro. Que nos preocupávamos um com o outro, que tínhamos carinho um pelo outro. Como eu disse, nós nos amávamos. E ainda hoje nos amamos.

— Não estou entendendo, senhor Gardner. Então por que o senhor e a senhora Gardner vão se separar?

Ele soltou outro daqueles suspiros.

— Como é que você poderia entender, meu amigo, vindo de onde vem? Mas você foi gentil comigo hoje, então vou tentar explicar. A verdade é que eu já não tenho o mesmo nome de antigamente. Pode protestar quanto quiser, mas lá de onde eu venho isso é uma coisa que não se pode esconder. Eu não sou mais um nome importante. Poderia simplesmente aceitar isso e ir saindo de cena. Viver de glórias passadas. Ou poderia dizer não, ainda não estou acabado. Em outras palavras, amigo, eu poderia voltar à cena. Muitos já fizeram isso, na minha situação e em situações ainda piores. Mas voltar à cena não é fácil. É preciso estar preparado para fazer várias mudanças, algumas delas difíceis. Você muda a sua maneira de ser. Muda até algumas coisas que ama.

— Senhor Gardner, está me dizendo que o senhor e a senhora Gardner precisam se separar por causa da sua volta à cena?

— Olhe para os outros artistas, os que conseguiram voltar à cena. Olhe para os da minha geração que ainda estão por aí. Todos se casaram de novo. Duas, três vezes até. Todos têm mulheres jovens. Eu e Lindy estamos começando a ser motivo de piada. Além do mais, tem uma moça na qual eu estou de olho, e ela está de olho em mim. Lindy sabe como são essas coisas. Sabe disso há mais tempo do que eu, talvez desde aquela época em que ficava ouvindo Meg falar. Nós já conversamos. Ela entende que está na hora de cada um seguir o seu caminho.

— Ainda não estou entendendo, senhor Gardner. Esse lugar de onde o senhor e a senhora Gardner vêm não pode ser tão diferente assim de todos os outros lugares. É por isso que essas canções que o senhor vem cantando durante todos esses anos fazem sentido para as pessoas do mundo todo. Até mesmo onde eu morava. E o que essas canções dizem? Que se duas pessoas não se amam mais e precisam se separar, é uma tristeza. Mas que, se elas continuam apaixonadas, devem ficar juntas para sempre. É disso que as canções estão falando.

— Entendo o que você diz, amigo. E sei que isso pode parecer difícil para você. Mas é assim que é. E escute, isto tem a ver com Lindy também. É melhor para ela fazermos isso agora. Ela ainda não está nem perto de ficar velha. Você a viu, ainda é uma mulher bonita. Precisa sair dessa agora, enquanto ainda tem tempo. Tempo para reencontrar o amor, para se casar de novo. Ela precisa sair antes que seja tarde demais.

Não sei o que eu teria respondido a isso, mas ele então me pegou de surpresa ao dizer:

— A sua mãe. Imagino que ela nunca tenha saído.

Pensei um pouco, depois disse baixinho:

— Não, senhor Gardner. Ela nunca saiu. Não viveu tempo suficiente para ver as mudanças no nosso país.

— Que pena. Tenho certeza de que ela era uma mulher e tanto. Se o que você está dizendo é verdade, e a minha música ajudou a deixá-la feliz, isso significa muito para mim. Pena ela não ter saído. Não quero que isso aconteça com a minha Lindy. Não mesmo. Não com a minha Lindy. Eu quero que a minha Lindy saia dessa.

A gôndola batia suavemente no embarcadouro. Vittorio chamou baixinho, estendendo a mão, e depois de alguns segundos o sr. Gardner se levantou e desceu da gôndola. Quando eu também já havia descido levando meu violão — não ia implorar nenhuma carona para Vittorio —, o sr. Gardner já estava com a carteira na mão.

Vittorio pareceu satisfeito com o que recebeu, e com as expressões e gestos elegantes de sempre tornou a subir na gôndola e começou a descer o canal.

Nós ficamos olhando ele desaparecer no escuro e, quando percebi, o sr. Gardner estava enfiando várias notas de dinheiro na minha mão. Eu lhe disse que aquilo era demais, que de toda forma era uma grande honra para mim, mas ele não quis nem ouvir falar em pegar qualquer dinheiro de volta.

— Não, não — disse, acenando com a mão em frente ao rosto como se quisesse se ver logo livre daquilo, não apenas do dinheiro, mas de mim, daquela noite, talvez de toda aquela etapa de sua vida. Começou a andar em direção ao *palazzo*, porém depois de alguns passos parou e se virou para olhar para mim. A ruazinha em que nos encontrávamos, o canal, tudo agora estava em silêncio exceto pelo som distante de uma televisão.

— Você tocou bem hoje, meu amigo — disse ele. — Você tem um toque especial.

— Obrigado, senhor Gardner. E o senhor cantou muito bem. Tão bem quanto sempre.

— Talvez eu passe pela praça de novo antes de irmos embora. Para ouvir você tocar com a sua banda.

— Espero que sim, senhor Gardner.

Mas eu nunca mais o vi. Alguns meses depois, no outono, fiquei sabendo que o sr. e a sra. Gardner haviam se divorciado — um dos garçons do Florian leu isso em algum lugar e me contou. Então me lembrei de todos os detalhes daquela noite, e fiquei um pouco triste ao pensar nela de novo. Porque o sr. Gardner tinha me parecido um sujeito bem decente, e, seja como for, com ou sem volta à cena, ele será sempre um dos grandes.

Chova ou faça sol

Assim como eu, Emily adorava velhas canções americanas da Broadway. Gostava das mais rapidinhas, como "Cheek to Cheek", de Irving Berlin, e "Begin the Beguine", de Cole Porter, enquanto eu preferia as baladas um pouco tristes: "Here's That Rainy Day" ou "It Never Entered My Mind". Mas o nosso gosto tinha muitos pontos de interseção, e de toda forma, naquela época, em um campus universitário no sul da Inglaterra, era quase um milagre encontrar alguém que compartilhasse esse tipo de paixão. Atualmente, um jovem talvez escute todo tipo de música. Meu sobrinho, que vai começar a universidade neste outono, está passando pela fase do tango argentino. Ele também gosta de Edith Piaf e de várias bandas *indie* da moda. Mas na nossa época os gostos não eram tão variados. Os meus colegas se dividiam em dois grandes grupos: os hippies de cabelos compridos e roupas esvoaçantes que gostavam de "rock progressivo" e os arrumadinhos de tweed que consideravam qualquer coisa que não fosse música clássica um barulho horrível. De vez em quando você esbarrava com alguém que dizia gostar de jazz, mas no final das contas era sempre alguma vertente do chamado *crossover* — improvisações intermináveis sem nenhum apreço pelas canções belamente trabalhadas e usadas como ponto de partida.

Portanto, foi um alívio encontrar alguém, e além do mais uma garota, que gostasse do Grande *Songbook* Americano. Como eu, Emily colecionava LPs com interpretações vocais sensíveis e sinceras dos standards — muitas vezes era possível encontrar esses discos sendo vendidos bem baratos nos brechós, desprezados pela geração dos nossos pais. Ela gostava mais de Sarah Vaughan e Chet Baker. Eu preferia Julie London e Peggy Lee. Nenhum de nós dois achava grande coisa Sinatra ou Ella Fitzgerald.

Nesse primeiro ano, Emily morava no alojamento da faculdade e tinha no quarto uma vitrola portátil de um tipo bastante comum na época. Parecia uma grande caixa de chapéu, com a superfície azul-clara imitando couro e uma única caixa de som embutida. Somente quando se erguia a tampa era possível ver o toca-discos lá dentro. O som era bem primitivo pelos padrões de hoje em dia, mas eu me lembro de nós dois passarmos muitas horas agachados ao lado da vitrola, felizes, suspendendo a agulha de uma faixa e abaixando-a cuidadosamente em outra. Adorávamos escutar diferentes versões da mesma canção e depois discutir sobre a letra ou a interpretação dos cantores. Será que aquele verso realmente deveria ser cantado com tanta ironia? Era melhor cantar "Georgia on My Mind" como se Georgia fosse um nome de mulher ou um lugar nos Estados Unidos? Ficávamos especialmente satisfeitos ao encontrar alguma gravação — como Ray Charles cantando "Come Rain or Come Shine" — em que as palavras em si eram felizes, mas a interpretação era pura dor.

O amor de Emily por esses discos era obviamente tão profundo que eu ficava espantado toda vez que topava com ela conversando com outros alunos sobre alguma banda de rock pretensiosa ou algum cantor-compositor californiano sem nada na cabeça. De vez em quando, ela começava a argumentar sobre algum disco "conceitual" de forma muito parecida com as nossas discussões sobre Gershwin ou Harold Arlen, e nessas horas eu precisava morder o lábio para não demonstrar minha irritação.

Nessa época, Emily era magra e linda, e se ela não tivesse escolhido Charlie tão cedo em sua carreira universitária tenho certeza de que vários homens teriam competido por ela. Mas ela nunca era atirada ou atrevida, então depois que começou a namorar Charlie os outros pretendentes recuaram.

— Esse é o único motivo que me faz ficar com Charlie — disse-me ela certa vez com uma expressão impassível, e então desatou a rir quando fiz cara de chocado. — Brincadeira, seu bobo. Charlie é o meu querido, meu querido, meu querido.

Charlie era meu melhor amigo na universidade. Durante aquele primeiro ano, passávamos o tempo inteiro juntos, e foi assim que conheci Emily. No segundo ano, Charlie e Emily foram dividir uma casa com outras pessoas na cidade e, embora eu os visitasse com frequência, aquelas conversas com Emily junto à vitrola viraram coisa do passado. Para começar, sempre que eu aparecia na casa havia muitos outros estudantes sentados lá, rindo e conversando, e agora um sofisticado sistema de som cuspia um rock em volume tão alto que era preciso falar aos gritos.

Charlie e eu continuamos bons amigos ao longo dos anos. Podemos não nos ver tanto quanto antigamente, mas é sobretudo por causa das distâncias. Eu passei anos aqui na Espanha, assim como na Itália e em Portugal, enquanto a base de Charlie sempre foi Londres. Se isso desse a entender que o cidadão do mundo sou eu e ele é o cara que fica em casa, seria engraçado. Porque na verdade quem está sempre viajando é Charlie — para o Texas, Tóquio, Nova York —, para comparecer a alguma reunião importante, enquanto eu vou passando os anos preso nos

41

mesmos prédios úmidos, bolando provas de ortografia ou tendo as mesmas conversas em um inglês vagaroso. Meu-nome-é-Ray. Qual-o-seu-nome? Você-tem-filhos?

Quando comecei a dar aulas de inglês depois da universidade, parecia uma vida bastante boa — mais ou menos como uma extensão da universidade. Os cursos de idiomas se multiplicavam por toda a Europa e, mesmo que lecionar fosse tedioso e os horários escorchantes, nessa idade ninguém liga muito para esse tipo de coisa. Você passa muito tempo em bares, é fácil fazer amizade, e há a sensação de fazer parte de uma grande rede que se estende pelo mundo inteiro. Você conhece pessoas que acabaram de chegar de temporadas no Peru ou na Tailândia, e isso o leva a pensar que, se quisesse, poderia passar o resto da vida zanzando pelo mundo, usando seus contatos para arrumar empregos em qualquer cantinho distante que quisesse. E você continuaria a fazer parte dessa aconchegante e extensa família de professores itinerantes, que tomam drinques trocando histórias sobre antigos colegas, diretores psicóticos de algum curso, funcionários excêntricos do Conselho Britânico.

No final dos anos 1980, espalhou-se o boato de que era possível ganhar muito dinheiro lecionando no Japão, e eu fiz sérios planos de ir para lá que nunca deram certo. Pensei também em ir para o Brasil, chegando a ler alguns livros sobre a cultura e a enviar formulários de candidatura. Mas, não sei por quê, nunca cheguei a ir tão longe. Fui para o sul da Itália, passei um curto período em Portugal, depois voltei para cá, para a Espanha. E então, antes de você perceber, já está com quarenta e sete anos e as pessoas com quem começou a trabalhar já foram substituídas há muito tempo por uma geração que fofoca sobre outros assuntos, toma outras drogas e ouve outra música.

Enquanto isso, Charlie e Emily haviam se casado e ido morar em Londres. Charlie me disse certa vez que, quando tivessem filhos, eu seria o padrinho. Mas isso nunca aconteceu. O que quero dizer é que os dois nunca tiveram filhos, e agora imagino que seja tarde demais. Tenho de admitir que sempre fiquei um pouco decepcionado com isso. Acho que sempre imaginei que ser padrinho de um dos filhos deles fosse proporcionar um vínculo oficial, por mais tênue que fosse, entre a vida dos dois na Inglaterra e a minha aqui.

De toda forma, no começo deste verão fui ficar na casa deles em Londres. Tinha sido tudo combinado com antecedência e, quando telefonei para confirmar uns dois dias antes, Charlie disse que os dois estavam "ótimos". Por isso não tive motivos para esperar outra coisa que não alguns mimos e um pouco de tranquilidade depois de alguns meses que não tinham sido exatamente os melhores da minha vida.

Na verdade, quando emergi da estação de metrô do bairro deles naquele dia ensolarado, o que ocupava meus pensamentos eram as possíveis melhorias que talvez tivessem sido incorporadas ao "meu" quarto desde a última visita. Ao longo dos anos, sempre houvera uma mudança ou outra. Podia ser algum aparelho eletrônico reluzente no canto; em outra ocasião, o quarto inteiro podia ter sido redecorado. De toda forma, quase por princípio, o quarto sempre era preparado para mim da mesma forma que aconteceria em um hotel chique: toalhas estendidas na cama, uma lata de biscoitos na cabeceira, uma coleção de CDs sobre a penteadeira. Alguns anos antes, Charlie me conduziu até o quarto e começou a ligar interruptores com um orgulho desinteressado, fazendo acender e apagar vários tipos de luz sutilmente posicionados: atrás da cabeceira da cama, acima do armário, e assim por diante. Outro interruptor ocasionara um leve ronronar, e persianas começaram a descer em frente às duas janelas.

— Escute, Charlie, para que eu preciso de persiana? — eu perguntei daquela vez. — Quero ver o dia lá fora quando acordar. Só as cortinas já está ótimo.

— Essa persiana é suíça — respondera ele, como se essa explicação bastasse.

Mas dessa vez Charlie me conduziu escada acima balbuciando alguma coisa consigo mesmo e, quando chegamos ao meu quarto, percebi que ele estava se desculpando. Então vi o quarto como nunca o tinha visto antes. Na cama não havia lençóis, e o colchão estava manchado e meio torto. No chão, pilhas de revistas e livros de bolso, montes de roupa velha, um taco de hóquei e uma caixa de som caída de lado. Parei na soleira e fiquei encarando aquilo enquanto Charlie abria um espaço para pôr a minha mala.

— Você está com cara de quem vai pedir para chamar o gerente — disse ele com amargura.

— Não, não. É que é raro ver o quarto assim.

— Está uma bagunça, eu sei. Uma bagunça. — Ele se sentou no colchão e deu um suspiro. — Pensei que as faxineiras tivessem dado um jeito nisso. Mas obviamente não deram. Só Deus sabe por quê.

Ele parecia muito desanimado, mas então tornou a se levantar subitamente.

— Olhe, vamos sair para almoçar. Eu deixo um recado para Emily. Podemos almoçar sem pressa, e na volta o seu quarto... o apartamento inteiro... já vai estar arrumado.

— Mas não podemos pedir para Emily arrumar tudo.

— Ah, não é ela quem vai arrumar. Ela vai chamar as faxineiras. Sabe direitinho mandar nelas. Eu não tenho nem o telefone de lá. Almoço, vamos sair para o almoço. Três pratos, garrafa de vinho, tudo isso.

O que Charlie chamava de apartamento deles eram na verdade os dois andares superiores de uma casa de quatro andares com terraço em uma rua chique mas movimentada. Saímos pela porta da frente e demos de cara com uma multidão de gente e de carros. Fui seguindo Charlie enquanto passávamos por lojas e escritórios até um pequeno e refinado restaurante italiano. Não tínhamos reserva, mas os garçons cumprimentaram Charlie como um amigo e nos conduziram até a mesa. Olhei em volta e vi que o salão estava cheio de homens com ar de executivo, de terno e gravata, e fiquei contente por Charlie estar tão mal-ajambrado quanto eu. Ele deve ter adivinhado o que eu estava pensando, pois enquanto se sentava disse:

— Ah, Ray, como você é conservador. Enfim, tudo isso agora mudou. Você morou tempo demais fora. — Então, com uma voz assustadora de tão alta, ele prosseguiu. — Quem tem a cara do sucesso somos *nós*. Todos os outros aqui parecem gerentes sem importância. — Então se inclinou na minha direção e completou em voz mais baixa. — Olhe aqui, nós precisamos conversar. Eu preciso que você me faça um favor.

Eu não conseguia me lembrar da última vez em que Charlie tinha pedido a minha ajuda para o que quer que fosse, mas consegui menear a cabeça de forma casual e esperar. Ele passou alguns segundos brincando com o cardápio, depois largou-o na mesa.

— A verdade é que eu e Emily estamos passando por uma fase meio difícil. Na verdade, nestes últimos tempos nós temos evitado nos encontrar. É por isso que ela não estava em casa agora há pouco para receber você. Neste momento, infelizmente, acho que você vai ter que escolher entre mim e ela. Mais ou menos como naquelas peças de teatro em que o mesmo ator faz dois papéis. Não vai dar para você ter eu e Emily no mesmo recinto ao mesmo tempo. Bem infantil, não é?

— Evidentemente é um momento ruim para a minha visita. Vou embora logo depois do almoço. Vou ficar com minha tia Katie lá em Finchley.

— Como assim? Você não está escutando. Eu acabei de dizer. Quero que você me faça um favor.

— Pensei que esse fosse o seu jeito de dizer...

— Não, seu idiota, quem vai ter que dar o fora sou *eu*. Preciso ir a uma reunião em Frankfurt e meu voo é hoje à tarde. Volto daqui a dois dias, quinta-feira no máximo. Enquanto isso, você fica aqui. Conserta um pouco as coisas, deixa tudo certinho de novo. Aí eu volto, digo um oi animado, beijo a minha mulher como se estes dois últimos meses não tivessem acontecido, e seguimos em frente.

Nessa hora, a garçonete chegou para anotar o nosso pedido, e depois que ela foi embora Charlie pareceu relutante em abordar o assunto outra vez. Em vez disso, ficou me bombardeando com perguntas sobre minha vida na Espanha, e sempre que eu lhe contava alguma coisa, boa ou ruim, ele dava um sorrisinho amargo e balançava a cabeça como se eu estivesse confirmando seus piores temores. Em determinado momento, eu estava tentando lhe dizer como agora cozinhava melhor — como tinha preparado o bufê de Natal para mais de quarenta alunos e professores quase sozinho —, mas ele simplesmente me cortou no meio da frase.

— Escute aqui — disse. — A sua situação é desesperadora. Você tem que se demitir. Mas primeiro precisa arrumar um emprego novo. Use esse português deprimido como intermediário. Garanta o cargo de Madri, depois largue o apartamento. Certo, olhe aqui o que você vai fazer. Primeiro.

Ele levantou a mão e começou a enumerar cada instrução à medida que ia falando. Quando nossos pratos chegaram, ainda faltavam um ou dois dedos, mas ele ignorou a comida e continuou até o fim. Então, quando começávamos a comer, disse:

— Está na cara que você não vai fazer nada disso.

— Não, não, tudo que você falou faz muito sentido.

— Mas mesmo assim você vai voltar e continuar fazendo tudo igual. Aí, daqui a um ano vamos estar aqui de novo e você vai ficar se lamentando exatamente das mesmas coisas.

— Eu não estava me lamentando...

— Sabe de uma coisa, Ray, as pessoas não podem ficar dando sugestões a você para sempre. Depois de um certo ponto, você precisa assumir a própria vida.

— Está bem, vou fazer isso, prometo. Mas você antes estava me dizendo alguma coisa sobre um favor.

— Ah, sim. — Ele mastigou a comida, pensativo. — Para ser sincero, esse foi o verdadeiro motivo para o meu convite. É claro que é ótimo ver você e tal. Mas para mim o principal era que eu queria que você fizesse uma coisa para mim. Afinal de contas, você é o meu amigo mais antigo, um amigo da vida inteira...

De repente, Charlie recomeçou a comer e percebi espantado que ele estava soluçando baixinho. Estendi a mão por cima da mesa e toquei seu ombro, mas ele simplesmente continuou enfiando macarrão na boca sem erguer os olhos. Depois de mais ou menos um minuto assim, tornei a estender a mão e toquei nele de novo, mas o gesto surtiu tão pouco efeito quanto o primeiro. Então a garçonete apareceu com um sorriso alegre para ver como estava a nossa comida. Ambos dissemos que estava excelente e, quando ela foi embora, Charlie pareceu voltar a ser ele mesmo.

— Certo, Ray, escute. O que vou pedir para você fazer é muito simples. Tudo que eu quero é que você passe os próximos dias com Emily, que seja um hóspede agradável. Só isso. Só até eu voltar.

— Só isso? Você só está me pedindo para cuidar dela enquanto estiver viajando?

— Isso. Ou melhor, deixe ela cuidar de você. Você é o hóspede. Eu organizei algumas coisas para vocês fazerem. Ingressos de teatro, essas coisas. Volto no máximo na quinta-feira. A sua missão é só deixar ela de bom humor e fazer com que continue assim. Para quando eu voltar e disser "Oi, amor" e der um abraço nela, ela simplesmente responder "Ah, oi, amor, bem-vindo de volta, como foi tudo?" e retribuir o meu abraço. Aí podemos continuar como antes. Antes de toda essa coisa horrível começar. É essa a sua missão. Na verdade é bem simples.

— Fico feliz em fazer o que eu puder — falei. — Mas olhe, Charlie, você tem certeza de que ela está com disposição para receber hóspedes? Vocês obviamente estão passando por algum tipo de crise. Ela deve estar tão chateada quanto você. Para ser bem sincero, não entendo por que você me convidou para vir logo agora.

— Como assim, não entende? Convidei porque você é o meu amigo mais antigo. É, tudo bem, eu tenho muitos amigos. Mas na verdade, quando pensei bem no assunto, percebi que você era o único que iria servir.

Tenho de admitir que isso me tocou. Mesmo assim, vi que havia algo de estranho naquela situação, algo que ele não estava me contando.

— Eu entenderia que você tivesse me convidado para ir à sua casa se vocês dois fossem estar lá — disse. — Entendo como isso poderia funcionar. Vocês não estão se falando, você convida um hóspede para servir de distração, os dois se comportam da melhor forma possível e as coisas começam a se resolver. Mas neste caso não vai funcionar porque você não vai estar em casa.

— Faça isso por mim e pronto, Ray. Eu acho que pode funcionar. Emily sempre fica alegre quando você está por perto.

— Alegre quando estou por perto? Sabe, Charlie, eu quero ajudar. Mas é possível que você tenha entendido as coisas meio errado. Porque, para ser bem franco, tenho a impressão de que Emily não fica alegre quando estou por perto nem mesmo na melhor das circunstâncias. Nas minhas últimas visitas, ela estava... bom, estava claramente impaciente comigo.

— Olhe aqui, Ray, confie em mim e pronto. Eu sei o que estou fazendo.

Quando voltei, Emily estava em casa. Devo admitir que fiquei chocado com quanto ela envelhecera. Não era apenas o fato de ter engordado de forma significativa desde minha última visita: seu rosto, outrora dotado de uma graça natural, agora estava marcadamente carrancudo, com uma expressão de desagrado estampada na boca. Ela estava sentada no sofá da sala lendo o *Financial Times* e se levantou de um jeito bem desanimado quando entrei.

— Que bom ver você, Raymond — disse, dando-me um beijo rápido no rosto e depois tornando a se sentar. A forma como ela fez isso me levou a querer pedir mil desculpas por aparecer em uma hora tão complicada. No entanto, antes de eu conseguir dizer qualquer coisa, ela deu uns tapinhas no lugar ao lado do seu no sofá e tornou a falar. — Venha, Raymond, sente aqui e responda às minhas perguntas. Quero saber tudo que você anda fazendo.

Sentei-me, e ela começou a me interrogar mais ou menos da mesma forma que Charlie havia feito no restaurante. Enquanto isso, Charlie arrumava as malas para a viagem, entrando e saindo da sala em busca de diversos objetos. Reparei que os dois não olharam um para o outro, mas tampouco pareciam tão desconfortáveis assim por estarem no mesmo recinto, apesar do que ele tinha dito. E, embora nunca se falassem diretamente, Charlie não parava de participar da conversa de uma forma esquisita, alheada. Por exemplo, quando eu estava explicando a Emily por que era tão difícil arrumar alguém para morar comigo e dividir o aluguel, Charlie gritou da cozinha:

— O lugar onde ele mora simplesmente não foi feito para

49

duas pessoas! Aquilo lá é para uma pessoa, e para uma pessoa com um pouco mais de dinheiro do que jamais ele vai ter!

Emily não teve resposta para isso, mas deve ter absorvido a informação, porque prosseguiu dizendo:

— Raymond, você nunca deveria ter escolhido um apartamento assim.

Esse tipo de coisa continou por pelo menos mais vinte minutos, com Charlie dando suas contribuições da escada ou enquanto passava pela sala rumo à cozinha, geralmente gritando alguma afirmação que fazia referência a mim na terceira pessoa. Em determinado momento, Emily disse de repente:

— Ah, Raymond, sério. Você se deixa explorar da forma mais vil possível por aquele curso de línguas medonho, deixa o dono do seu apartamento arruinar as suas contas, e o que é que você faz? Arranja uma garota cabeça de vento que bebe demais da conta e não tem sequer um emprego para pagar por isso. É como se você estivesse tentando, de propósito, incomodar qualquer pessoa que ainda não esteja cagando pra você!

— Ele não pode esperar que sobre muita gente nesse time! — bradou Charlie do hall. Deu para ouvir que ele já estava com a mala. — Nenhum problema em se comportar feito um adolescente dez anos depois de você não ser mais um. Mas continuar fazendo isso com quase cinquenta anos!

— Eu só tenho quarenta e sete...

— Como assim, *só* quarenta e sete? — a voz de Emily soou desnecessariamente alta, considerando que eu estava sentado bem ao seu lado. — Só quarenta e sete. É esse "só" que está destruindo a sua vida, Raymond. Só, só, só. Só estou fazendo o melhor que posso. Só quarenta e sete. Logo, logo você vai estar só com *sessenta* e sete e continuar andando em círculos, tentando achar um maldito de um teto para proteger a sua cabeça!

— E ele precisa consertar junto o maldito do traseiro dele!

— gritou Charlie escada abaixo. — Tirar a bunda da cadeira. Tomar jeito de uma vez por todas, porra!

— Raymond, você nunca para para pensar em quem realmente você é? — perguntou Emily. — Quando pensa em todo o seu potencial, você não sente vergonha? Olhe só como está levando a sua vida! É... é simplesmente enfurecedor! Dá uma irritação!

Charlie apareceu no vão da porta de capa de chuva, e os dois passaram um instante gritando coisas diferentes para mim ao mesmo tempo. Então Charlie parou de falar, anunciou que estava indo embora — como se fosse por nojo de mim — e desapareceu.

Sua partida fez cessar o sermão de Emily, e eu aproveitei a oportunidade para me levantar dizendo:

— Me dê licença um instantinho, vou ali ajudar o Charlie com a bagagem.

— Por que é que eu preciso de ajuda com a bagagem? — disse Charlie do hall. — Só tenho uma mala.

Mas ele permitiu que eu o seguisse até a rua e me deixou com a mala enquanto se aproximava do meio-fio para chamar um táxi. Não parecia haver táxis disponíveis, e ele ficou inclinado em direção à rua com ar de preocupação, o braço meio levantado.

Cheguei perto dele e disse:

— Charlie, eu não acho que isso vá funcionar.

— O que é que não vai funcionar?

— Emily me detesta. Já está assim depois de passar alguns minutos comigo. Como é que vai ser daqui a três dias? Por que cargas d'água você acha que vai voltar e encontrar um mundo de harmonia e luz?

À medida que eu dizia essas palavras, uma compreensão começou a penetrar em minha mente e eu me calei. Percebendo a mudança, Charlie se virou e me olhou com atenção.

— Acho — falei depois de algum tempo — que eu tenho um palpite sobre por que tinha de ser eu e mais ninguém.
— Ha-ha. Será que Ray está vendo a luz?
— É, pode ser que eu esteja.
— Mas que importância tem isso? O que estou pedindo a você continua a mesma coisa, exatamente a mesma coisa. — Agora ele estava de novo com lágrimas nos olhos. — Você se lembra, Ray, de como a Emily sempre costumava dizer que acreditava em mim? Ela passou anos dizendo isso. Eu acredito em você, Charlie, você pode ir muito longe, tem muito talento. Até três, quatro anos atrás ela ainda dizia isso. Você faz ideia de como era irritante? Eu estava indo bem na vida. *Estou* indo bem na vida. Perfeitamente bem. Mas ela pensava que o meu destino fosse... Só Deus sabe o quê, presidente da porra do mundo, só Deus sabe! Eu sou apenas um cara normal que está indo bem na vida. Mas ela não consegue ver assim. É isso que está no coração de tudo, no coração de tudo que deu errado.

Ele começou a andar vagarosamente pela calçada, muito preocupado. Voltei apressado para pegar sua mala e comecei a puxá-la sobre as rodinhas. A rua ainda estava bastante cheia, de modo que era difícil acompanhá-lo sem esbarrar a mala nos outros pedestres. Mas Charlie continuou andando em um ritmo regular, alheio à minha dificuldade.

— Ela acha que eu decepcionei a mim mesmo — dizia ele. — Mas não é verdade. Tudo está correndo perfeitamente bem. Nada contra horizontes infinitos quando se é jovem. Mas na nossa idade é preciso... é preciso ter um olhar mais realista sobre as coisas. É isso que passava pela minha cabeça quando ela começou a ficar insuportável com esse assunto. Realismo, ela precisa de realismo. E eu não parava de dizer a mim mesmo: olhe, eu estou indo bem na vida. Olhe para milhares de outras pessoas, pessoas que nós conhecemos. Olhe para o Ray. Olhe que merda ele está fazendo com a vida *dele*. Ela precisa de realismo.

— Então você resolveu me convidar para uma visita. Para bancar o Senhor Realista.

Por fim, Charlie parou de andar e me encarou.

— Não me leve a mal, Ray. Eu não estou dizendo que você é um fracasso nem nada disso. Sei que você não é nenhum drogado ou assassino. Mas, comparado comigo, vamos encarar os fatos, você não parece o mais bem-sucedido dos homens. É por isso que estou pedindo a você, pedindo que faça isso por mim. As coisas entre nós estão por um fio, eu estou desesperado, preciso da sua ajuda. E o que é que estou pedindo, pelo amor de Deus? Só para você ser o cara agradável de sempre. Nada mais, nada menos. Faça isso por mim e pronto, Raymond. Por mim e por Emily. As coisas ainda não terminaram entre nós, eu sei que não. Só seja você mesmo por alguns dias até eu voltar. Não é pedir demais, é?

Respirei fundo e disse:

— Tá bom, tá bom, se você acha que vai ajudar. Mas Emily não vai entender tudo mais cedo ou mais tarde?

— Por que ela iria entender? Ela sabe que eu tenho uma reunião importante em Frankfurt. Para ela é tudo muito simples. Ela só está cuidando de um hóspede, só isso. Ela gosta de receber gente e gosta de você. Olhe, um táxi. — Ele acenou freneticamente e, enquanto o motorista vinha na nossa direção, segurou meu braço. — Obrigado, Ray. Você vai nos ajudar, sei que vai.

Quando voltei, constatei que o humor de Emily havia passado por uma transformação completa. Ela me recebeu no apartamento como poderia ter recebido um parente muito idoso e frágil. Sorrisos encorajadores, toques delicados no braço. Quando aceitei um chá, ela me levou até a cozinha, me fez sentar diante da mesa e passou alguns segundos me olhando com uma expressão preocupada. Depois de algum tempo, disse bem baixinho:

— Eu sinto muito por ter falado com você daquele jeito, Raymond. Não tenho o direito de falar assim com você. — Então, virando-se para fazer o chá, ela continuou. — Já faz muitos anos que estudamos juntos na universidade. Sempre me esqueço disso. Eu nunca sequer sonharia em falar daquele jeito com qualquer outro amigo meu. Mas no seu caso, bom, acho que eu olho para você e é como se estivéssemos de volta àqueles tempos, do jeito que era antes, e eu simplesmente esqueço. Você não deve levar isso a sério, não mesmo.

— Não, não. Eu não levei a sério de jeito nenhum. — Eu ainda estava pensando na conversa que acabara de ter com Charlie, e provavelmente parecia distante. Acho que Emily interpretou mal esse fato, porque sua voz ficou mais suave.

— Desculpe ter chateado você. — Ela dispunha cuidadosamente fileiras de biscoitos sobre um prato na minha frente. — A verdade, Raymond, é que naquela época nós podíamos dizer praticamente qualquer coisa para você, você apenas ria, nós também ríamos, e tudo virava uma grande piada. Que bobagem a minha achar que ainda poderia ser assim.

— Bem, na verdade eu *ainda* sou mais ou menos assim. Não ligo para esse tipo de coisa.

— Eu não percebi como você agora está diferente — continuou ela, aparentemente sem me escutar. — Como deve estar perto do limite.

— Olhe aqui, Emily, não estou tão mal assim, sério...

— Acho que os anos simplesmente deixaram você exaurido. Você parece um homem à beira de um precipício. Basta um empurrãozinho e você vai rebentar.

— Cair, você quer dizer.

Ela estava mexendo na chaleira, mas então se virou para me encarar de novo.

— Não, Raymond, não fale assim. Nem de brincadeira. Eu nunca mais quero ouvir você falar desse jeito.

— Não, você não está entendendo. Você disse rebentar, mas se eu estivesse na beira de um precipício eu iria cair, não rebentar.

— Ah, coitadinho... — Ela ainda não parecia entender o que eu estava dizendo. — Você é só uma sombra do Raymond daquela época.

Decidi que talvez fosse melhor não responder dessa vez, e passamos alguns minutos em silêncio esperando a água ferver na chaleira. Ela preparou uma xícara apenas para mim e a pôs na minha frente.

— Eu sinto muito mesmo, Ray, mas preciso voltar ao escritório agora. Tenho duas reuniões que não posso perder de jeito nenhum. Se ao menos eu soubesse como você estava, não iria abandonar você. Teria combinado outra coisa. Mas não combinei, estão me esperando de volta. Coitadinho do Raymond. O que você vai ficar fazendo aqui sozinho?

— Vou ficar ótimo. Sério. Na verdade, eu estava pensando. Que tal eu fazer o jantar enquanto você está no trabalho? Talvez você não acredite, mas ultimamente virei um cozinheiro dos bons. Na verdade, fizemos um bufê um pouco antes do Natal...

— Que gentileza a sua querer ajudar. Mas acho melhor você descansar agora. Afinal, uma cozinha desconhecida pode ser um enorme gerador de estresse. Por que não fica completamente à vontade, toma um banho de ervas, ouve música? Eu cuido do jantar quando voltar.

— Mas você não vai querer se preocupar com comida depois de um dia inteiro no escritório.

— Não, Ray, relaxe. — Ela sacou um cartão de visitas e o pôs sobre a mesa. — Aqui está meu telefone direto, e meu celular também. Eu agora tenho *mesmo* que ir, mas você pode me ligar quando quiser. E lembre-se: não faça nada estressante enquanto eu estiver fora.

Já faz algum tempo que venho achando difícil relaxar de verdade no meu próprio apartamento. Quando estou sozinho em casa, vou ficando cada vez mais inquieto, incomodado com a ideia de estar perdendo algum encontro fundamental em algum lugar lá fora. No entanto, quando fico sozinho na casa de outra pessoa, muitas vezes me sinto invadido por uma agradável sensação de paz. Adoro afundar em um sofá desconhecido com qualquer livro que estiver por perto. E foi exatamente isso que fiz nesse dia depois de Emily sair. Ou pelo menos consegui ler alguns capítulos de Mansfield Park antes de cochilar por uns vinte minutos.

Quando acordei, o sol da tarde batia dentro do apartamento. Levantei-me do sofá e comecei a fuçar um pouco o ambiente. Talvez as faxineiras de fato tivessem passado por lá durante o nosso almoço, ou talvez a própria Emily tivesse feito a arrumação; em todo caso, a ampla sala de estar estava com um aspecto impecável. Tirando a limpeza, havia sido decorada com estilo, com móveis de design moderno e objetos artísticos — embora alguém que quisesse ser desagradável pudesse dizer que era tudo proposital demais, só para causar efeito. Dei uma olhada nos livros, depois fui ver a coleção de CDs. Era quase tudo rock ou música clássica, mas por fim, depois de procurar um pouco, encontrei escondida nas sombras uma pequena seção dedicada a Fred Astaire, Chet Baker, Sarah Vaughan. Fiquei intrigado com o fato de Emily não ter substituído mais peças de sua querida coleção de vinil pelas respectivas reencarnações em forma de CD, mas não passei muito tempo pensando nisso e fui andando até a cozinha.

Estava abrindo alguns armários em busca de biscoitos ou de

uma barra de chocolate, quando reparei no que parecia ser um caderninho sobre a mesa da cozinha. Tinha a capa e a contracapa forradas de veludo acolchoado, o que o fazia se destacar nas superfícies lisas e minimalistas da cozinha. Emily, muito apressada um pouco antes de sair, tinha esvaziado e tornado a encher a bolsa em cima da mesa enquanto eu tomava meu chá. Era óbvio que havia deixado o caderno ali sem querer. Mas então, quase no instante seguinte, outra ideia me ocorreu: a de que aquele caderno roxo fosse algum tipo de diário íntimo e de que Emily o deixara ali de propósito, com a intenção de que eu desse uma olhada; de que, por algum motivo, ela não tinha sido capaz de se abrir mais comigo e, portanto, havia recorrido àquela forma de compartilhar o turbilhão íntimo por que estava passando.

Fiquei algum tempo ali parado, com os olhos fixos no caderno. Então estendi a mão, inseri o indicador no meio das páginas, mais ou menos na metade, e as ergui delicadamente. A visão da caligrafia apertada de Emily lá dentro me fez retirar o dedo e me afastei da mesa, dizendo a mim mesmo que não tinha o direito de bisbilhotar aquilo, qualquer que tivesse sido a intenção de Emily em um rompante irracional.

Voltei para a sala, instalei-me no sofá e li mais algumas páginas de *Mansfield Park*. Mas então descobri que não conseguia me concentrar. Meus pensamentos não paravam de retornar ao caderno roxo. E se não tivesse sido um ato impulsivo? E se ela estivesse planejando aquilo havia dias? E se tivesse escrito alguma coisa com cuidado para eu ler?

Depois de mais uns dez minutos, voltei à cozinha e fiquei encarando mais um pouco o caderno roxo. Então me sentei no mesmo lugar onde havia me sentado antes para tomar o chá, puxei o caderno mais para perto e o abri.

Uma coisa que logo ficou evidente foi que, se Emily confiava seus pensamentos mais íntimos a um diário, esse caderno estava em outro lugar. O que eu tinha à minha frente era, no melhor dos casos, uma agenda de compromissos mais enfeitada; abaixo de cada dia ela havia rabiscado diversos lembretes para si mesma, alguns de dimensão claramente ambiciosa. Uma das anotações, feita em caneta grossa com ponta de feltro, dizia: "Ainda não liguei para Mathilda, MAS POR QUE NÃO, DROGA??? LIGAR!!!".

Outra dizia: "Terminar o maldito do Philip Roth. Devolver para Marion!".

Então, à medida que fui virando as páginas, me deparei com: "Raymond chega segunda. Ai, ai".

Virei mais algumas páginas e encontrei: "Ray amanhã. Como sobreviver?".

Por fim, escrita naquela mesma manhã, entre lembretes para várias obrigações: "Comprar vinho para a chegada do Príncipe das Lamúrias".

Príncipe das Lamúrias? Levei algum tempo para aceitar que isso poderia de fato estar se referindo a mim. Experimentei todo tipo de possibilidade — um cliente? um encanador? —, mas no final, considerando a data e o contexto, fui obrigado a aceitar que não havia nenhum outro candidato sério. Então, de repente, a total injustiça de ela me atribuir esse título me atingiu com força inesperada e, antes de eu perceber, já havia amassado a página ofensiva em meu punho.

Não foi um ato particularmente violento: eu nem sequer rasguei a página. Apenas fechei o punho em volta dela com um único movimento, e no segundo seguinte voltei a assumir o controle de mim mesmo, só que, claro, a essa altura já era tarde demais. Abri a mão e descobri que não apenas a página em questão, mas também as duas logo abaixo haviam sido vítimas da minha fúria. Tentei alisar as páginas, para que voltassem a seu formato original, no entanto elas simplesmente continuaram a se curvar para cima de novo, como se o seu desejo mais profundo fosse se transformar em uma bolota de lixo.

Apesar disso, durante algum tempo continuei realizando, em pânico, uma espécie de movimento de passar a ferro as páginas danificadas. Estava quase aceitando o fato de que meus esforços eram inúteis — de que nada do que eu fizesse agora iria conseguir ocultar o que eu já tinha feito —, quanto me dei conta de um telefone tocando em algum lugar do apartamento.

Decidi ignorá-lo e continuei tentando pensar em todas as implicações do que acabara de acontecer. Mas então a secretária eletrônica começou a funcionar e ouvi a voz de Charlie deixando um recado. Talvez eu tenha pressentido uma boia salva-vidas, ou talvez só precisasse de alguém para desabafar, mas me vi correndo até a sala e agarrando o telefone da mesa de centro de vidro.

— Ah, você *está* em casa. — Charlie soava ligeiramente irritado por eu ter interrompido seu recado.

— Charlie, escute. Acabei de fazer uma coisa bem idiota.

— Estou no aeroporto — disse ele. — O voo atrasou. Quero ligar para a agência de motoristas que vai me pegar em Frankfurt, mas não trouxe o telefone. Então preciso que você me dê.

Ele começou a dar instruções de como eu poderia encontrar seu caderninho de telefone, mas eu o interrompi dizendo:

— Olhe, acabei de fazer uma coisa idiota. Não sei o que fazer.

Durante alguns segundos houve silêncio. Então ele disse:

— Talvez você esteja pensando, Ray. Talvez esteja pensando que tem outra pessoa. Que eu estou indo viajar agora para me encontrar com ela. Me ocorreu que talvez fosse isso que você está pensando. Afinal de contas, isso iria se encaixar com tudo que você observou. O jeito como Emily estava quando fui embora, tudo isso. Só que você está errado.

— Sim, eu entendo o que você está querendo dizer. Mas, olhe, preciso falar com você sobre uma coisa...

—Aceite e pronto, Ray. Você está errado. Não há nenhuma outra mulher. Estou indo para Frankfurt agora participar de uma reunião sobre a mudança da nossa agência na Polônia. É para lá que estou indo agora.

—Certo, entendi.

—Nunca houve outra mulher nisso tudo. Eu não seria capaz de olhar para mais ninguém, pelo menos não a sério. A verdade é essa. É a maldita verdade, não tem mais nada além disso!

Ele havia começado a gritar, embora possivelmente fosse devido a todo o barulho à sua volta no saguão de embarque. Então se calou, e fiquei escutando com atenção para detectar se estava chorando outra vez, mas tudo que ouvi foram barulhos de aeroporto. De repente, ele disse:

—Eu sei o que você está pensando. Você está pensando, tudo bem, não existe nenhuma outra mulher. Mas será que tem outro *homem*? Vamos, pode confessar, é isso que você está pensando, não é? Vamos, pode dizer!

—Na verdade, não. Nunca me ocorreu que você pudesse ser gay. Nem mesmo naquela vez depois das provas finais, quando você ficou muito bêbado e fingiu...

—Cale a boca, seu bobo! Eu quis dizer outro homem Amante de Emily! Amante de Emily, será que esse maldito personagem existe? É isso que estou sugerindo. E a resposta, na minha opinião, é não, não, não. Depois de todos esses anos, consigo ler Emily bastante bem. Mas o problema é que, justamente pelo fato de conhecer ela tão bem, eu também consigo perceber outra coisa. Consigo perceber que ela começou a pensar no assunto. Isso mesmo, Ray, ela está olhando para outros caras. Caras como o maldito do David Corey!

—Quem é esse?

—O maldito do David Corey é um advogado imbecil e fingido que está se dando bem na vida. Eu sei exatamente quão bem, porque ela fica me dizendo quão bem com todos os mínimos detalhes.

— Você acha... que eles estão saindo?

— Não, acabei de dizer! Não existe nada, nada ainda! De toda forma, o maldito do David Corey não iria nem olhar para ela. Ele é casado com uma gata glamorosa que trabalha na Condé Nast.

— Então você não tem o que temer...

— Tenho, sim, porque tem também Michael Addison. E Roger van Den Berg, que é uma estrela em ascensão na Merrill Lynch e vai ao Fórum Econômico Mundial todo ano...

— Olhe aqui, Charlie, por favor me escute. Estou com um problema aqui. Reconheço que é um problema pequeno de acordo com a maioria dos padrões. Mas mesmo assim é um problema. Por favor, só me escute.

Finalmente consegui lhe contar o que havia acontecido. Relatei tudo da maneira mais honesta que consegui, embora talvez não tenha mencionado o pedaço em que pensei que Emily tivesse deixado um recado confidencial para mim.

— Sei que foi uma idiotice completa — eu disse no fim do relato. — Mas ela deixou o caderno bem em cima da mesa da cozinha.

— É. — Charlie agora soava bem mais calmo. — É. Você se encalacrou mesmo.

E então ele riu. Incentivado por seu riso, eu ri também.

— Acho que eu devo estar tendo uma reação exagerada — falei. — Afinal de contas, não se trata do diário pessoal dela nem nada disso. É só um caderno de lembretes... — Deixei a frase morrer, porque Charlie continuava a rir e havia um toque de histeria em sua risada. Então ele parou de rir e disse, com a voz neutra:

— Se ela descobrir, vai querer cortar fora o seu saco.
Houve uma pausa curta em que fiquei escutando os barulhos do aeroporto.
— Então ele continuou:
— Há uns seis anos, eu mesmo abri esse caderno, ou o equivalente a ele naquele ano. Fiz isso por acaso, sentado à mesa da cozinha, enquanto ela cozinhava. Você sabe, só abri distraidamente enquanto dizia alguma coisa. Ela percebeu na mesma hora e me disse que não tinha gostado nem um pouco. Na verdade, foi nessa hora que ela me disse que iria cortar fora o meu saco. Na hora ela estava segurando um rolo de massa, então eu comentei que seria difícil ela fazer o que estava ameaçando fazer com um rolo de massa. Foi aí que ela disse que o rolo era para depois. Para o que ela iria fazer com o meu saco depois de cortar ele fora.

Um anúncio de voo se fez ouvir ao fundo.

— Mas o que você sugere que eu faça? — perguntei.

— O que você *pode* fazer? Continue alisando as páginas e pronto. Quem sabe ela não percebe.

— Estou tentando fazer isso, mas simplesmente não funciona. Não tem como ela não perceber...

— Olhe aqui, Ray, eu estou com a cabeça cheia. O que estou tentando dizer a você é que todos esses homens com quem a Emily sonha na verdade não são amantes em potencial. São só homens que ela acha maravilhosos porque pensa que eles tiveram muito sucesso. Ela não vê os defeitos deles. A sua incrível... *brutalidade*. De toda forma, eles são todos areia demais para o caminhãozinho dela. A questão é que, e é isto que é patético de tão triste e irônico em relação a esta situação toda, a questão é que, no fundo no fundo, é a *mim* que ela ama. Ela ainda me ama. Eu posso ver isso, posso ver isso.

— Então, Charlie, você não tem nenhum conselho.

— Não! Não tenho nenhum conselho, porra! — Ele estava gritando muito alto outra vez. — Resolva isso sozinho! Você embarca no seu avião e eu embarco no meu. E vamos ver qual deles cai!

Com isso, Charlie desligou. Deixei-me cair sobre o sofá e respirei fundo. Disse a mim mesmo para não dramatizar a situação, mas durante esse tempo todo pude sentir na boca do estômago uma sensação difusa de pânico. Várias ideias me passaram pela cabeça. Uma das soluções era simplesmente fugir do apartamento e não ter mais contato nenhum com Charlie ou Emily durante muitos anos, depois dos quais eu lhes mandaria uma carta cautelosa e cuidadosamente formulada. Mesmo no meu estado atual, descartei esse plano como um pouco desesperado demais. Outro melhor era esvaziar uma a uma as garrafas de seu armário de bebidas para que, quando Emily chegasse em casa, me encontrasse lamentavelmente de porre. Então eu poderia dizer que havia bisbilhotado sua agenda e atacado as páginas em meio a um delírio alcoólico. Na verdade, com a irracionalidade da bebedeira, eu poderia até mesmo assumir o papel de ofendido, gritando e apontando, dizendo a ela quanto havia ficado magoado ao ler aquelas palavras escritas a meu respeito, escritas por alguém com cujo amor e amizade eu sempre contara, e cuja lembrança ajudara a me dar forças durante os meus piores momentos em países desconhecidos e solitários. No entanto, embora esse plano tivesse vantagens do ponto de vista prático, eu podia sentir algo nele — algo bem lá no fundo dele, algo que eu não me atrevia a examinar muito de perto — que, eu sabia, iria torná-lo uma impossibilidade para mim.

Depois de algum tempo, o telefone recomeçou a tocar, e a voz de Charlie tornou a surgir na secretária eletrônica. Quando atendi, ele soava consideravelmente mais calmo do que antes.

— Estou no portão de embarque agora — disse. — Desculpe ter me exaltado um pouco no outro telefonema. Aeroportos sempre me deixam assim. Nunca consigo me acalmar antes de chegar ao portão. Ray, escute, eu pensei em uma coisa. Em relação à nossa estratégia.

— Nossa estratégia?

— É, nossa estratégia global. É claro que você já percebeu que esta não é a hora para pequenas alterações da verdade que possam deixar você mais bonito na foto. Não é absolutamente a hora para pequenas mentiras que melhorem a sua imagem. Não, não. Para começo de conversa, você se lembra, não se lembra?, por que foi encarregado dessa tarefa. Ray, eu estou confiando em você para se mostrar a Emily exatamente como você é. Desde que você faça isso, a nossa estratégia continua a mesma.

— Bom, veja, eu não estou nem um pouco a caminho de me tornar o maior herói de Emily...

— Sim, você entende a situação, e fico grato por isso. Mas acaba de me ocorrer uma coisa. Só tem uma coisa, uma coisinha no seu repertório que não vai funcionar nesta situação. Porque, Ray, ela acha que você tem um bom gosto musical, entende?

— Ah...

— Praticamente a única ocasião em que ela usa *você* para me menosprezar é nessa área da música. É o único aspecto em que você não é absolutamente perfeito para essa missão. Então, Ray, você precisa me prometer não falar desse assunto.

— Ah, pelo amor de Deus...

— Faça isso por mim e pronto, Ray. Não é pedir muito. Simplesmente não comece a falar naquelas... naquelas músicas nostálgicas de crooner de que ela tanto gosta. E se *ela* puxar esse assunto, então apenas se faça de bobo. É tudo que estou pedindo. Tirando isso, pode apenas ser você mesmo. Ray, eu posso contar com você para isso, não posso?

— Bem, acho que sim. De toda forma, isso tudo é bem teórico. Eu não consigo nos ver conversando sobre isso hoje à noite.

— Que bom! Então está combinado. Agora vamos ao nosso probleminha. Você vai ficar feliz em saber que eu pensei na questão. E encontrei uma solução. Está me ouvindo?

— Estou, estou ouvindo.

— Tem um casal que sempre vai aí em casa. Angela e Solly. Eles são legais, mas, se não fossem nossos vizinhos, não nos relacionaríamos muito com eles. Enfim, eles vão sempre aí em casa. Você sabe, aparecem sem avisar, esperando um chá. Mas a questão é a seguinte. Eles aparecem em vários momentos do dia em que levam Hendrix para passear.

— Hendrix?

— Hendrix é um labrador fedido, incontrolável, e possivelmente homicida. Para Angela e Solly, é claro, essa criatura imunda é o filho que eles nunca tiveram. Ou que ainda não tiveram, pois provavelmente ainda são jovens o bastante para terem filhos de verdade. Mas não, eles preferem o querido, querido Hendrix. E, sempre que eles aparecem aí em casa, o querido Hendrix se encarrega de destruir tudo com a mesma determinação de qualquer ladrão descontrolado. Lá vai a luminária para o chão. Ai, meu Deus, não tem problema, você levou um susto, meu amor? Você sabe do que estou falando. Agora escute. Há mais ou menos um ano, nós tínhamos um livro de arte que havia custado uma fortuna, cheio de fotografias artísticas de rapazes gays posando em casbás do norte da África. Emily gostava de deixar o livro aberto em uma página específica, achava que combinava com o sofá. Ficava louca quando alguém virava a página. Enfim, mais ou menos há um ano, Hendrix apareceu e devorou o livro inteiro. Isso mesmo: cravou os dentes em todas aquelas fotos impressas em papel cuchê e conseguiu comer umas vinte páginas ao todo antes de a mamãe conseguir convencê-lo a desistir. Você entende por que estou contando isso, não entende?

— Entendo. Quero dizer, posso ver uma escapatória por aí, mas...

— Tudo bem, vou ser mais claro. Você vai dizer o seguinte para a Emily. A campainha tocou, você foi atender, e lá estava um casal com Hendrix puxando a coleira. Eles se apresentaram como Angela e Solly, dois bons amigos precisando de um chá. Você deixou os dois entrarem, Hendrix enlouqueceu, comeu a agenda. É totalmente plausível. Qual o problema? Por que não está me agradecendo? Não é bom o bastante para o senhor?

— Estou muito agradecido. Só estou aqui pensando, só isso. Olhe, para começar, e se essas pessoas realmente aparecerem? Depois de Emily chegar, digo.

— Acho que é possível. Tudo que posso dizer é que seria muita, muita falta de sorte sua isso acontecer. Quando falei que eles aparecem sempre, quis dizer uma vez por mês, no máximo. Então pare de inventar problemas e fique agradecido.

— Mas, Charlie, não é um certo exagero dizer que esse cachorro comeu exatamente a agenda, e bem essas páginas?

Eu o ouvi suspirar.

— Imaginei que você não fosse precisar que eu explicasse o resto. Naturalmente você vai ter que bagunçar um pouco o apartamento. Derrubar a luminária, derramar açúcar no chão da cozinha. Tem de fazer parecer que Hendrix passou por aí como um furacão. Olhe, estão chamando o voo. Preciso ir. Ligo para você quando chegar à Alemanha.

Enquanto escutava Charlie, eu havia sido tomado por uma sensação parecida com a que sinto quando alguém começa a falar de algum sonho que teve ou das circunstâncias que levaram à pequena batida na porta de seu carro. Aquele plano era bem razoável — engenhoso até —, mas eu não conseguia ver como podia ter qualquer relação com qualquer coisa eu pudesse dizer ou fazer quando Emily chegasse em casa, e comecei a ficar cada vez mais impaciente. Depois de Charlie desligar, porém, constatei que o seu telefonema tinha tido um efeito um pouco hipnótico sobre mim. Ao mesmo tempo que minha mente descartava a ideia como uma idiotice, meus braços e pernas se preparavam para pôr em prática aquela "solução".

Comecei virando a luminária de lado. Tomei cuidado para que ela não batesse em nada, e retirei a cúpula primeiro, tornando a encaixá-la em um ângulo meio torto só depois de a luminária já estar arrumada no chão. Então peguei um vaso na prateleira e o pus deitado sobre o tapete, espalhando à sua volta as flores secas que estavam lá dentro. Em seguida, escolhi um bom lugar perto da mesa de centro para "derrubar" o cesto de papéis. Fiz tudo isso de uma forma estranha e incorpórea. Não pensava que nada daquilo fosse ter resultado, mas estava achando que o processo todo tinha um efeito bastante tranquilizador. Então me lembrei que todo aquele vandalismo estava supostamente relacionado com a agenda, e fui até a cozinha.

Depois de pensar um pouco, peguei um açucareiro em um dos armários, coloquei-o sobre a mesa não muito longe do caderno roxo e inclinei-o devagar até o açúcar escorrer para fora. Tive de me esforçar um pouco para evitar que o açucareiro rolasse pela borda da mesa, mas no final acabei conseguindo fazê-lo parar. A essa altura, o pânico que me apertava o ventre já havia evaporado. Eu não estava exatamente calmo, mas agora parecia uma bobagem ter ficado no estado em que ficara.

Voltei à sala, deitei no sofá e peguei o livro de Jane Austen. Depois de algumas linhas, senti um enorme cansaço me invadir e, antes de perceber, estava novamente pegando no sono.

Fui acordado pelo telefone. Quando a voz de Emily soou na secretária, sentei-me e atendi.

— Ah, que bom, Raymond, você *está* em casa. Como você está, querido? Como está se sentindo agora? Conseguiu relaxar?

Garanti-lhe que sim, que na verdade estava dormindo.

— Ah, que pena! Deve fazer muitas semanas que você não dorme direito, e agora, quando finalmente consegue se desligar por um instante, eu apareço para atrapalhar! Me desculpe! E me desculpe também por outra coisa, Ray, vou ter que desapontar você. Estamos passando por uma verdadeira crise aqui no trabalho e não vou conseguir chegar em casa tão cedo quanto imaginei. Na verdade, vou demorar pelo menos mais uma hora. Você consegue aguentar, não consegue?

Repeti quanto estava me sentindo relaxado e feliz.

— É, você está parecendo mesmo bem estável agora. Me desculpe, Raymond, mas tenho que ir resolver isto aqui. Sirva-se de qualquer coisa que quiser. Tchau, querido.

Desliguei o telefone e estiquei os braços. A luz agora começava a diminuir, então percorri o apartamento acendendo as luzes. Em seguida olhei para minha sala "destruída" e, quanto mais olhava, mais ela me parecia impressionantemente contida. A sensação de pânico começou a crescer no meu ventre de novo.

O telefone voltou a tocar, e dessa vez era Charlie. Ele me disse que estava na esteira de bagagens do aeroporto de Frankfurt.

— Estão demorando séculos, droga. Ainda não apareceu nenhuma mala. Como está se virando por aí? Madame ainda não chegou?

— Não, ainda não. Olhe, Charlie, aquele seu plano. Não vai funcionar.

— Como assim, não vai funcionar? Não me diga que passou esse tempo todo pensando nisso sem fazer nada.

— Eu fiz o que você sugeriu. Baguncei a casa toda, mas não ficou muito convincente. Simplesmente não parece que um cachorro esteve aqui. Parece mais uma exposição de arte.

Ele passou alguns instantes calado, talvez concentrado na esteira. Então disse:

— Entendo o seu problema. Não são as suas coisas. É natural você ficar inibido. Então escute, vou citar alguns objetos que eu adoraria ver danificados. Está me ouvindo, Ray? Eu *quero* que os seguintes objetos sejam estragados. Aquela estatueta imbecil, um boi de porcelana. Está ao lado do CD-player. Foi um presente do maldito do David Corey depois de uma viagem a Lagos. Para começar, pode espatifar a estatueta. Na verdade, não ligo para o que você destruir. Pode destruir tudo!

— Charlie, acho que você precisa se acalmar.

— Tá bom, tá bom. Mas esse apartamento está cheio de velharias. Igualzinho ao nosso casamento neste momento. Cheio de velharias acabadas. Esse sofá vermelho meio esponjoso, sabe de que sofá estou falando, Ray?

— Sei. Na verdade, acabei de pegar no sono deitado nele.

— Esse sofá já deveria ter ido para o ferro-velho há anos. Por que não rasga o estofado e espalha o recheio pela casa?

— Charlie, você precisa se controlar. Na verdade, acabei de perceber que você não está tentando nem um pouco me ajudar. Só está me usando como instrumento para expressar a sua raiva e a sua frustração...

— Ah, cale essa boca, pare de falar merda! É claro que eu estou tentando ajudar você. E é claro que o meu plano é bom. Garanto que vai funcionar. A Emily detesta esse cachorro, detesta Angela e Solly, então vai aproveitar a oportunidade para detestar os três ainda mais. Escute aqui. — A voz dele de repente se transformou quase em um sussurro. — Eu vou dar a você a melhor dica de todas. O ingrediente secreto para garantir que ela fique convencida. Deveria ter pensado nisto antes. Quanto tempo você ainda tem?

— Mais uma hora ou algo assim...

— Ótimo. Escute com atenção. Cheiro. Isso mesmo. Deixe a casa com cheiro de cachorro. Quando ela entrar pela porta já vai perceber, mesmo que seja apenas de forma subliminar. Então vai entrar na sala, reparar no boi de porcelana do querido David espatifado no chão, no recheio desse horrível sofá vermelho espalhado por...

— Olhe aqui, eu não disse que faria...

— Apenas escute! Ela vai ver toda essa destruição e, na mesma hora, conscientemente ou não, vai fazer a ligação com o cheiro de cachorro. A cena toda com Hendrix vai passar pela cabeça dela com muita nitidez, e antes mesmo de você dizer qualquer coisa a ela. É isso o melhor de tudo!

— Charlie, você está delirando. Tá bom, e como é que eu faço o seu fedor caseiro de cachorro?

— Eu sei exatamente como criar um cheiro de cachorro.

— A voz dele ainda era um sussurro animado. — Sei exatamente como fazer isso, porque eu e Tony Barton fazíamos isso no último ano do ensino médio. Ele tinha uma receita, só que eu aprimorei.

— Mas por quê?

— Por quê? Porque ficava com mais cheiro de repolho do que de cachorro, só por isso.

— Não, o que eu quis perguntar foi por que vocês... Olhe aqui, não importa. É melhor você me dizer logo, contanto que eu não precise sair para comprar um jogo do Pequeno Químico.

— Ótimo. Você está aceitando a ideia. Pegue uma caneta, Ray. Anote aí. Ah, finalmente, lá está ela. — Ele deve ter posto o telefone no bolso, porque depois disso passei alguns instantes ouvindo ruídos uterinos. Então ele voltou e disse:

— Preciso ir agora. Então anote aí. Posso falar? A panela de tamanho médio. Já deve estar em cima do fogão. Ponha mais ou menos meio litro de água dentro dela. Junte dois cubos de caldo de carne, uma colher de sobremesa de cominho, uma colher de sopa de páprica, duas colheres de sopa de vinagre e um punhado generoso de folhas de louro. Anotou? Depois ponha dentro da panela algum sapato ou bota de couro, de cabeça para baixo, de modo que a sola não fique submersa no líquido. É para não ficar nenhum resquício de borracha queimada. Depois acenda o fogo, espere a mistura ferver e deixe a panela em fervura branda. Logo você vai reparar no cheiro. Não é um cheiro horrível. A receita original de Tony Barton levava lesmas de jardim, mas essa daí é bem mais sutil. Igualzinha a um cachorro fedido. Eu sei, você vai me perguntar onde encontrar os ingredientes. Todas as ervas e essas coisas estão nos armários da cozinha. Se você olhar no armário debaixo da escada, vai encontrar um par de botas velhas. Não as galochas. As botas surradas, que mais parecem sapatos compensados. Eu usava essas botas o tempo todo na universidade. Já estão acabadas e esperando pelo lixo. Pegue uma dessas botas. Qual é o problema? Escute, Ray, faça isso e pronto, tá bom? Salve-se. Porque vou dizer uma coisa: Emily zangada não é brincadeira. Preciso ir agora. Ah, e não se esqueça. Nada de ficar exibindo o seu maravilhoso conhecimento musical.

Talvez tenha sido apenas o efeito de receber instruções claras, por mais dúbias que fossem: quando desliguei o telefone, fui tomado por uma atitude segura e profissional. Podia ver com clareza o que eu precisava fazer. Fui até a cozinha e acendi a luz. De fato, a panela "de tamanho médio" estava em cima do fogão à espera da tarefa seguinte. Enchi-a com água até a metade e tornei a levá-la até o fogão. Enquanto fazia isso, percebi que havia mais uma coisa que eu precisava esclarecer antes de prosseguir: a quantidade exata de tempo que eu tinha para concluir meu trabalho. Fui até a sala, peguei o telefone e liguei para o número do trabalho de Helen.

A assistente atendeu e me disse que Emily estava em reunião. Insisti, em um tom que equilibrava genialidade com decisão, para que ela tirasse Emily da reunião, "se ela estiver mesmo em uma reunião". Instantes depois, Emily estava na linha.

— O que foi, Raymond? O que aconteceu?

— Não aconteceu nada. Só estou ligando para saber como você está.

— Ray, sua voz está esquisita. O que foi?

— Como assim, voz esquisita? Eu só liguei para saber a que horas você deve chegar. Sei que você me considera um desocupado, mas mesmo assim eu gostaria de ter alguma espécie de horário.

— Raymond, não precisa ficar zangado assim. Vou demorar mais uma hora... Talvez uma hora e meia. Sinto muito, mas estamos passando por uma crise de verdade aqui...

— De uma hora a uma hora e meia. Tudo bem. É só isso que eu preciso saber. Tá bom, até já então. Pode voltar para a sua reunião agora.

Ela talvez estivesse prestes a dizer alguma outra coisa, mas eu desliguei e rumei a passos largos de volta à cozinha, determinado a não deixar minha atitude decidida se evaporar. Na verdade, eu estava começando a me sentir verdadeiramente entusiasmado, e não conseguia de forma alguma entender como havia me permitido ficar tão desanimado pouco tempo antes. Vasculhei os armários e dispus todas as ervas e temperos de que precisava em uma fileira bem arrumada ao lado do fogão. Em seguida os medi e pus na água, dei uma mexida rápida e saí para procurar a bota.

O armário debaixo da escada abrigava toda uma coleção de calçados de aspecto lamentável. Depois de alguns instantes procurando, desencavei o que com certeza devia ser uma das botas que Charlie havia indicado — um exemplar particularmente gasto, com uma lama ancestral grudada na borda de trás da sola. Segurando-a com a ponta dos dedos, levei-a de volta até a cozinha e a mergulhei cuidadosamente na água com a sola virada para o teto. Então acendi um fogo médio sob a panela, sentei-me diante da mesa e fiquei esperando a água esquentar. Quando o telefone tornou a tocar, relutei em sair de perto da panela, mas então ouvi Charlie falando sem parar na secretária. Acabei abaixando o fogo e fui atender.

— O que você estava dizendo? — perguntei. — Parecia estar particularmente se fazendo de vítima, mas eu estava ocupado e não ouvi.

— Estou no hotel. É só um três-estrelas, acredita? Que atrevimento! Uma empresa grande como a deles! E o quarto é uma droga também!

— Mas você só vai passar umas duas noites aí...

— Escute, Ray, eu não fui totalmente honesto com você antes sobre um assunto. Não é justo. Afinal de contas, você está me fazendo um favor, está fazendo o melhor possível por mim, tentando ajeitar a situação com a Emily, e eu aqui, sem ser totalmente franco com você.

— Se você estiver se referindo à receita do cheiro de cachorro, é tarde demais. Já pus tudo na panela. Mas acho que ainda dá para pôr mais algum tempero extra ou algo assim...

— Se não fui sincero com você antes, foi porque não estava sendo sincero nem comigo mesmo. Mas agora que estou aqui pude pensar melhor nas coisas. Ray, eu disse a você que não tinha outra pessoa, só que isso não é totalmente verdade. Tem uma garota. É, ela é *mesmo* uma garota, tem uns trinta e poucos anos. Ela se preocupa muito com a educação nos países em desenvolvimento e com um comércio global mais justo. Na verdade não foi uma história de atração sexual, isso foi só uma espécie de subproduto. Foi o idealismo desinteressado dela. Me fez lembrar de como nós já fomos um dia, todos nós. Você se lembra, Ray?

— Desculpe, Charlie, mas eu não me lembro de você algum dia ter sido particularmente idealista. Na verdade, você sempre foi um cético total e um hedonista...

— Tá bom, talvez na época nós fôssemos só um bando de

preguiçosos decadentes, todos nós. Mas em algum lugar dentro de mim sempre existiu outra pessoa querendo sair. Foi isso que me atraiu para ela...

— Charlie, quando foi isso? Quando foi que isso aconteceu?

— Quando foi que aconteceu o quê?

— Esse caso.

— Não teve caso nenhum! Eu não transei com ela, nada disso. Nem mesmo almocei com ela. Eu só... só me organizei para continuar me encontrando com ela.

— Como assim, continuar se encontrando com ela? — A essa altura, eu já havia voltado à cozinha e estava olhando a minha preparação.

— Bem, eu continuei me encontrando com ela — respondeu ele. — Continuei a marcar horas com ela.

— Está querendo dizer que ela é uma garota de programa.

— Não, não, eu já disse: nós nunca transamos. Não, ela é dentista. Eu comecei a ir sempre lá, inventava coisas sobre uma dor aqui, um desconforto das gengivas ali. Fui esticando a história, entende? E é claro que no final das contas Emily acabou percebendo. — Por um segundo, Charlie pareceu estar reprimindo um soluço. Então veio o desabafo. — Ela descobriu... ela descobriu... porque eu estava passando muito fio dental! — Ele agora estava quase guinchando. — Ela disse: "Você *nunca, jamais* passou tanto fio dental!".

— Mas isso não faz sentido. Se você cuidar melhor dos seus dentes, vai ter menos motivos para se consultar com ela...

— Que importância tem se faz ou não sentido? Eu só queria agradar a ela!

— Olhe aqui, Charlie, você não saiu com ela, não transou com ela, qual é a questão?

— A questão é que eu queria tanto alguém assim, alguém que despertasse esse outro eu, o eu que existe preso lá dentro...

— Charlie, escute o que eu vou dizer. Desde o seu último telefonema eu me controlei consideravelmente. E, para ser bem sincero, acho que você também deveria se controlar. Nós podemos conversar sobre tudo isso quando você voltar. Mas a Emily vai chegar daqui a mais ou menos uma hora, e eu preciso estar com tudo pronto. Agora estou controlando a situação por aqui, Charlie. Acho que dá para perceber isso pela minha voz.

— Porra, mas que maravilha! Você está controlando a situação. Excelente! Que porra de amigo...

— Charlie, eu acho que você está chateado porque não gostou do hotel. Mas deveria se controlar. Relativizar um pouco as coisas. E coragem. Eu estou controlando a situação aqui. Vou resolver a história do cachorro, depois vou desempenhar o meu papel para você até a última linha. Emily, eu vou dizer. Emily, olhe para mim, olhe como eu sou patético. A verdade é que a maioria das pessoas é tão patética quanto eu. Mas Charlie é diferente. Charlie é de outra categoria.

— Você não pode dizer isso. Não soa nada natural.

— É claro que eu não vou ser tão literal assim, seu idiota. Olhe aqui, deixe que eu cuido disso. Estou controlando a situação. Então fique calmo. Preciso desligar agora.

Larguei o telefone e examinei a panela. O líquido agora tinha fervido e havia muito vapor na cozinha, mas ainda nenhum cheiro de qualquer tipo. Ajustei a chama até tudo estar borbulhando de forma agradável. Foi mais ou menos nesse ponto que fui tomado por uma ânsia de respirar um pouco de ar fresco e, como não havia subido ainda ao terraço do último andar, abri a porta da cozinha e saí.

Estava surpreendentemente quente para uma noite de início de junho na Inglaterra. Apenas um leve frescor na brisa me dizia que eu não estava mais na Espanha. O céu ainda não havia escurecido completamente, mas já se enchia de estrelas. Além da mureta que marcava o final do terraço, eu tinha uma vista de muitos quilômetros das janelas e quintais dos fundos das casas vizinhas. Várias das janelas estavam acesas, e as mais distantes, se você estreitasse os olhos, pareciam quase extensões das estrelas. Aquele terraço não era grande, mas definitivamente tinha algo de romântico. Era possível imaginar um casal, em meio a suas vidas urbanas agitadas, saindo para aquele espaço em uma noite cálida para passear de braços dados entre os vasos de plantas, trocando histórias sobre seus respectivos dias.

Eu poderia ter ficado muito mais tempo lá em cima, mas estava com medo de perder o pique. Voltei à cozinha e, ao passar pela panela borbulhante, parei na soleira da sala para observar minha obra anterior. O grande erro, dei-me conta, havia sido minha total incapacidade de considerar a questão da perspectiva de uma criatura como Hendrix. O segredo, eu agora percebia, era me imbuir do espírito e da visão de Hendrix.

Uma vez adotada essa estratégia, pude ver não apenas a inadequação de meus esforços anteriores, mas como a maioria das sugestões de Charlie havia sido inútil. Por que um cão com tanta energia iria pegar um pequeno bibelô em forma de boi no meio de um equipamento de som e espatifá-lo? E a ideia de rasgar o sofá e espalhar o recheio pela sala era uma imbecilidade. Hendrix precisaria ter dentes afiados como navalhas para conseguir um efeito assim. O açucareiro derrubado na cozinha estava razoável, mas a sala, percebi, teria de ser conceitualizada outra vez, desde o início.

Entrei na sala agachado, para vê-la mais ou menos do mesmo ponto de vista de Hendrix. Imediatamente, as revistas empilhadas sobre a mesinha de centro se revelaram um alvo evidente, então as derrubei em uma trajetória condizente com o esbarrão de um focinho enxerido. A forma como as revistas aterrissaram no chão me pareceu suficientemente autêntica. Encorajado, ajoelhei-me, abri uma das revistas e amassei uma das páginas de uma forma que, torci, fosse despertar alguma recordação em Emily quando ela encontrasse o caderno. Mas dessa vez o resultado foi uma decepção: era evidentemente obra de um humano, e não de dentes caninos. Eu havia incorrido mais uma vez no meu antigo erro: não havia me identificado suficientemente com Hendrix. Então fiquei de quatro no chão e, abaixando a cabeça em direção à mesma revista, cravei os dentes nas páginas. Tinham um gosto de perfume bem agradável. Abri, bem no meio, uma segunda revista caída e comecei a repetir o processo. Comecei a entender que a técnica ideal era bastante parecida com a daquelas brincadeiras de quermesse em que se tenta morder maçãs boiando na água sem usar as mãos. O que funcionava melhor era um movimento leve de mastigação, sempre movendo a mandíbula de forma flexível: isso fazia as páginas ficarem bem franzidas e amassadas. Mordidas concentradas demais, por sua vez, simplesmente "grampeavam" uma página na outra sem grande efeito.

Acho que foi por estar tão absorto nesses pequenos detalhes que não percebi a presença de Emily em pé no hall, observando-me um pouco antes da porta da sala. Quando reparei que ela estava ali, minha primeira sensação não foi de pânico nem de vergonha, mas de mágoa por ela estar ali em pé sem ter de alguma forma anunciado sua chegada. Na verdade, quando me lembrei de que me dera ao trabalho de ligar para o escritório dela alguns minutos antes justamente para evitar o tipo de situação que agora me consumia, senti-me vítima de um engodo deliberado. Talvez tenha sido por isso que minha primeira reação visível foi simplesmente dar um suspiro cansado, sem fazer nenhuma tentativa de abandonar minha postura de quatro no chão. Meu suspiro fez Emily entrar na sala, e ela pousou a mão nas minhas costas delicadamente. Não tenho certeza de que chegou a se ajoelhar, mas o rosto dela parecia próximo do meu quando ela disse:

— Raymond, cheguei. Vamos sentar, que tal?

Ela estava me ajudando a levantar, e tive de resistir ao impulso de me desvencilhar dela.

— Que coisa estranha — falei. — Há poucos minutos você estava prestes a entrar numa reunião.

— Estava, sim. Mas depois do seu telefonema percebi que a prioridade era voltar para casa.

— Como assim, prioridade? Emily, por favor, não precisa ficar segurando o meu braço desse jeito, eu não vou cair. Como assim, a prioridade era voltar para casa?

— O seu telefonema. Eu entendi o que era. Um pedido de socorro.

— Não era nada disso. Eu só estava tentando... — Deixei a frase no meio porque percebi que Emily estava olhando para a sala em volta com uma expressão atônita.

— Ai, Raymond — murmurou ela quase para si mesma.

— Acho que eu fui um pouco desastrado. Teria arrumado tudo, mas você chegou antes.

Estendi a mão para a luminária caída, mas Emily me deteve.

— Não tem importância, Raymond. Não tem importância nenhuma mesmo. Podemos arrumar isso juntos depois. Agora sente e relaxe, só isso.

— Olhe aqui, Emily, eu sei que esta casa é sua e tudo o mais. Mas por que você entrou de fininho?

— Eu não entrei de fininho, querido. Eu chamei quando cheguei, mas você não parecia estar em casa. Então fui ao banheiro e, quando saí, bom, você no final das contas estava em casa, sim. Mas por que ficar falando disso? Não tem importância nenhuma. Eu estou aqui agora, e podemos passar uma noite tranquila juntos. Por favor, Raymond, sente aqui. Vou fazer um chá.

Enquanto dizia isso, ela já estava andando em direção à cozinha. Eu estava ajeitando a cúpula da luminária, de modo que levei alguns instantes para me lembrar do que havia lá dentro — e a essa altura já era tarde demais. Fiquei esperando para ouvir a reação dela, mas só havia silêncio. Depois de algum tempo, acabei largando a cúpula e fui até a porta da cozinha.

A panela ainda borbulhava alegremente e o vapor se erguia ao redor da sola da bota virada para cima. O cheiro, que eu mal havia percebido até então, estava muito mais evidente dentro da cozinha. Era penetrante, sem dúvida, e lembrava vagamente o curry. Mais do que qualquer coisa, fazia pensar naqueles momentos em que você tira o pé de dentro de uma bota depois de uma caminhada longa e suada.

Emily estava em pé a alguns passos do fogão, esticando o pescoço para conseguir ver o melhor possível a panela de uma distância segura. Parecia absorta por aquela visão e, quando dei uma risadinha para anunciar minha presença, ela não desviou o olhar, muito menos se virou.

Passei me espremendo por ela e sentei-me à mesa da cozinha. Depois de algum tempo, ela se virou com um sorriso bondoso.

— Mas que ideia encantadora, Raymond.

Então, como se estivesse agindo contra a sua vontade, o olhar dela voltou a ser atraído para o fogão.

Eu via à minha frente o açucareiro derrubado — e a agenda —, e uma imensa sensação de cansaço se apoderou de mim. Tudo me pareceu subitamente insuportável, e decidi que a única maneira de seguir em frente era acabar com todos os joguinhos e dizer a verdade. Respirando fundo, falei:

— Olhe aqui, Emily. As coisas podem estar parecendo um pouco esquisitas, mas foi tudo por causa de uma agenda sua. Esta aqui. — Abri o caderno na página danificada e lhe mostrei. — Foi muito errado da minha parte, errado mesmo, e eu sinto muito de verdade. Mas eu por acaso abri a agenda e, bom, por acaso amassei a página. Assim... — Imitei uma versão menos raivosa do meu gesto anterior, e em seguida olhei para ela.

Para meu espanto, ela só lançou um olhar desinteressado para a agenda antes de tornar a se virar para a panela dizendo:

— Ah, isso é só para anotações. Nada pessoal. Não se preocupe, Ray. — Então deu mais um passo em direção à panela para estudá-la melhor.

— Como assim? Como assim, não se preocupe? Como você pode dizer isso?

— Qual é o problema, Raymond? É só um caderno para anotar umas coisas que eu posso esquecer.

— Mas o Charlie me falou que você ia ficar uma fera! — Minha indignação agora se somava ao fato de que Emily evidentemente se esquecera do que havia escrito sobre mim.

— É mesmo? O Charlie disse que eu iria ficar zangada?

— Disse! Na verdade, ele me contou que você uma vez falou que ia cortar fora o saco dele se algum dia ele lesse esse caderno!

Não tive certeza se a expressão intrigada de Emily se devia ao que eu estava dizendo ou se ainda era um resquício de ter olhado para a panela. Ela se sentou ao meu lado e passou alguns instantes pensando.

— Não — disse por fim. — Isso foi sobre outro assunto. Agora me lembro bem. Mais ou menos nesta mesma época, no ano passado, Charlie ficou desanimado com alguma coisa e me perguntou o que eu faria se ele se matasse. Estava só me testando, ele é medroso demais para tentar qualquer coisa assim. Mas ele perguntou e então eu respondi que, se ele fizesse alguma coisa desse tipo, eu iria cortar o saco dele. Foi a única vez que eu disse isso. Quero dizer, não é um refrão que eu viva repetindo.

— Não estou entendendo. Se ele se matasse, você faria isso com ele? Depois?

— Foi só modo de dizer, Raymond. Eu estava tentando mostrar quanto iria achar ruim ele se suicidar. Estava fazendo ele se sentir valorizado.

— Você não está entendendo a minha pergunta. Se fizer isso depois, não chega a ser um desestímulo, certo? Ou talvez você tenha razão, seria...

— Raymond, vamos esquecer essa história. Vamos esquecer tudo isso. Sobrou um pouco de cordeiro ensopado de ontem, mais da metade. Estava bem bom ontem à noite, e vai estar ainda melhor hoje. E podemos abrir uma boa garrafa de Bordeaux. Foi muita gentileza sua começar a preparar alguma coisa para o jantar. Mas o ensopado é provavelmente a melhor pedida para hoje, não acha?

Qualquer tentativa de explicação agora parecia além das minhas forças.

— Tá bom, tá bom. Ensopado de cordeiro. Incrível. Sim, sim.

— Então... podemos tirar *isto daqui* do fogão por enquanto?

— Claro, claro. Por favor. Por favor, tire.

Levantei-me e fui até a sala — que, é claro, ainda estava uma bagunça, mas eu não tinha mais energia para começar a arrumar. Em vez disso, deitei-me no sofá e fiquei olhando para o teto. Em determinado momento, tive consciência de que Emily entrava na sala, e pensei que ela havia saído para o hall, mas então percebi que estava agachada no canto mais afastado, mexendo no som. Logo a seguir, a sala se enchcu de cordas lindíssimas, sopros melancólicos e de Sarah Vaughan cantando "Lover Man".

Uma sensação de alívio e conforto tomou conta de mim. Meneando a cabeça ao ritmo da batida lenta, fechei os olhos, lembrando-me de como tantos anos atrás, no quarto de Emily na faculdade, eu e ela havíamos passado mais de uma hora discutindo se Billie Holiday sempre cantava aquela canção melhor do que Sarah Vaughan.

Emily tocou meu ombro e entregou-me um copo de vinho tinto. Ela havia posto um avental com babados por cima do terninho de trabalho e segurava um copo para si. Sentou-se na outra ponta do sofá, perto dos meus pés, e deu um gole. Então abaixou um pouco o volume com o controle remoto.

— Que dia horrível — falou. — Não só no trabalho, que está uma confusão total. Estou falando da viagem de Charlie, de tudo. Não pense que isso não me magoa, o fato de ele viajar para o exterior assim quando ainda não fizemos as pazes. E então, para completar, você finalmente surta. — Ela deu um longo suspiro.

— Não, Emily, não é tão ruim assim, sério. Para começar, Charlie acha você o máximo. Quanto a mim, eu estou bem. Estou bem mesmo.

— Porra nenhuma.

— Não, sério. Eu estou bem...

— Eu estava falando de Charlie me achar o máximo.

— Ah, entendi. Bom, se você não acredita, não poderia estar mais enganada. Na verdade, eu sei que Charlie ama você mais do que nunca.

— Como é que você pode saber isso, Raymond?

— Eu sei porque... bom, para começar, ele mais ou menos me disse isso quando estávamos almoçando. E, mesmo que não tivesse falado claramente, dá para perceber. Olhe, Emily, eu sei que as coisas estão meio complicadas agora. Mas você precisa se agarrar ao mais importante. E o mais importante é que ele ainda ama muito você.

Ela deu outro suspiro.

— Faz séculos que eu não escuto esse disco, sabe? É por causa de Charlie. Quando ponho esse tipo de música, ele imediatamente começa a grunhir.

Passamos alguns instantes sem falar, apenas escutando Sarah Vaughan. Então, quando começou um trecho instrumental, Emily disse:

— Imagino que você prefira a outra versão dela para essa canção, Raymond. Aquela que ela cantava só com o piano e o contrabaixo.

Não respondi, mas me ergui um pouco mais para poder beber meu vinho com mais facilidade.

— Aposto que sim — disse ela. — Você prefere aquela outra versão. Não prefere, Raymond?

— Bom — respondi —, na verdade eu não sei. Para ser sincero, não me lembro da outra versão.

Senti Emily mudar de posição na outra ponta do sofá.

— Você está brincando, Raymond.

— Engraçado, eu já não escuto muito esse tipo de coisa hoje em dia. Na verdade, esqueci quase completamente esse assunto. Não tenho nem certeza de que música é essa que está tocando agora. — Dei uma risadinha, que talvez não tenha saído muito boa.

— Que história é essa? — Sua voz de repente soou irritada.

— Que coisa mais ridícula. A menos que tenha feito uma lobotomia, é impossível você ter esquecido.

— Bom. Muitos anos se passaram. As coisas mudam.

— Que história é essa? — Sua voz agora tinha um quê de pânico. — As coisas não podem mudar tanto assim.

Eu estava desesperado para encerrar o assunto. Então falei:

— Que pena as coisas estarem tão confusas no seu trabalho.

Emily ignorou completamente o meu comentário.

— Mas o que você está dizendo? Está dizendo que não gosta *disso*? Quer que eu desligue, é isso?

— Não, não, Emily, por favor, é lindo. E... e desperta lembranças. Por favor, vamos ficar quietinhos de novo e relaxar, igual a um minuto atrás.

Ela deu outro suspiro e, quando tornou a falar, sua voz estava novamente suave.

— Desculpe, querido. Eu esqueci. Isso é a última coisa de que você precisa, eu gritando com você. Desculpe mesmo.

— Não, não, tudo bem. — Eu me ergui até ficar sentado. — Charlie é um cara decente, sabe, Emily. Um cara muito decente. E ele ama você. Você não vai conseguir coisa melhor, sabe.

Emily deu de ombros e bebeu mais um pouco de vinho.

— Você provavelmente tem razão. E não somos mais tão jovens. Nós dois nos merecemos. Deveríamos agradecer. Mas nunca ficamos satisfeitos, não é? Não sei por que isso acontece. Porque quando eu paro para pensar percebo que na verdade não quero mais ninguém.

Durante o minuto seguinte, ou algo assim, ela continuou tomando seu vinho e escutando a música. Então disse:

— Raymond, sabe quando você está em uma festa, dançando? E quem sabe está tocando uma música lenta e você está com a pessoa com quem realmente quer estar, e dizem que o resto do mundo desaparece? Mas de alguma forma isso não acontece. Simplesmente não acontece. Você sabe que não existe ninguém que chegue nem perto de ser tão gentil quanto o cara com quem você está dançando. Mas mesmo assim... bem, a sala inteira está cheia de outras pessoas. Elas não deixam você em paz. Não param de gritar, de acenar, de fazer macaquices para atrair sua atenção. "Ei! Como é que você pode se contentar com isso? Você pode conseguir coisa muito melhor! Olhe para cá!" Parece que elas passam o tempo todo gritando coisas assim. Então fica impossível, você simplesmente não consegue dançar tranquila com o seu par. Entende o que estou dizendo, Raymond?

Pensei um pouco no assunto, então disse:

— Bom, eu não tenho tanta sorte quanto você e Charlie.

Não tenho ninguém especial como vocês têm. Mas sim, de certa forma eu entendo exatamente o que você está dizendo. É difícil saber onde se acomodar. Ou com o que se acomodar.

— É isso, droga. Eu só queria que eles fossem embora, esses penetras. Queria que eles fossem embora e nos deixassem viver a nossa vida.

— Sabe, Emily, eu não estava brincando agora há pouco. Charlie acha você o máximo. Ele está muito chateado porque as coisas não vão bem entre vocês.

As costas dela estavam mais ou menos viradas para mim, e ela passou um longo tempo sem dizer nada. Então Sarah Vaughan iniciou sua linda, talvez excessivamente lenta versão de "April in Paris", e Emily se sobressaltou como se Sarah houvesse chamado o seu nome. Então virou-se para mim e sacudiu a cabeça.

— Não consigo acreditar, Ray. Não consigo acreditar que você não escute mais esse tipo de música. Antigamente nós costumávamos escutar todos esses discos. Naquela vitrolinha que mamãe me deu antes de eu entrar para a universidade. Como é que você pôde simplesmente esquecer?

Levantei-me e andei até as portas altas que davam para o terraço, ainda segurando meu copo. Quando olhei lá para fora, percebi que meus olhos estavam marejados de lágrimas. Abri a porta e saí para poder enxugá-las sem Emily perceber, mas ela apareceu logo atrás de mim, então talvez tenha percebido, não sei.

A noite estava agradável, morna, e Sarah Vaughan e sua banda flutuavam pelas janelas até o terraço. As estrelas brilhavam mais do que antes, e as luzes da vizinhança ainda cintilavam como uma extensão do céu noturno.

— Eu adoro essa música — disse Emily. — Imagino que você tenha esquecido essa daí também. Mas, mesmo que tenha esquecido, ainda consegue dançar ao som dela, não consegue?

— Consigo. Acho que sim.
— Nós poderíamos ser iguais a Fred Astaire e Ginger Rogers.
— É, poderíamos.
Pusemos nossos copos de vinho sobre a mesa de pedra e começamos a dançar. Não dançávamos especialmente bem — nossos joelhos não paravam de se esbarrar —, mas eu segurei Emily bem colada a mim, e minhas sensações foram tomadas pela textura de suas roupas, de seus cabelos, de sua pele. Ao segurá-la daquele jeito, pensei novamente no quanto ela havia engordado.
— Tem razão, Raymond — disse ela baixinho ao pé do meu ouvido. — Charlie é legal. Nós deveríamos nos entender.
— É. Deveriam mesmo.
— Você é um bom amigo, Raymond. O que faríamos sem você?
— Se eu sou um bom amigo, fico feliz. Porque não sou muito bom em mais nada. A verdade é que eu sou bem inútil.
Senti um cutucão forte no ombro.
— Não diga isso — sussurrou ela. — Não fale assim. — Então, instantes depois, ela tornou a dizer. — Você é um amigo muito bom, Raymond.
Era a versão de 1954 de Sarah Vaughan para "April in Paris", com Clifford Brown no trompete. Então eu sabia que era uma faixa comprida, de pelo menos oito minutos. Fiquei contente com isso, pois tinha consciência de que, quando a canção terminasse, não iríamos mais dançar, e sim entrar e comer o ensopado. E, até onde eu sabia, Emily poderia muito bem reconsiderar o que eu tinha feito com a sua agenda e decidir dessa vez que não era uma ofensa tão trivial assim. Como eu poderia saber? Mas pelo menos por mais alguns minutos nós estávamos seguros, e seguimos dançando sob o céu estrelado.

Malvern Hills

Eu havia passado a primavera em Londres, e no final das contas, mesmo que não tivesse conseguido fazer tudo que planejara, fora um interlúdio empolgante. Com o passar das semanas e a aproximação do verão, porém, a antiga inquietação estava voltando. Para começar, eu andava um pouco paranoico, com medo de encontrar algum dos meus antigos amigos da universidade. Enquanto passeava por Camden Town ou olhava CDs que não tinha dinheiro para comprar nas megalojas do West End, muitos deles já tinham vindo falar comigo para perguntar como eu estava desde que havia largado o curso para "correr atrás de fama c fortuna". Não que eu tivesse vergonha de contar a eles o que vinha fazendo. A questão era que — com muitas raras exceções — nenhum deles seria capaz de entender o que eram ou não, para mim, naquele momento específico, alguns meses "bem-sucedidos".

Como eu disse, eu não cumprira todos os objetivos que havia fixado para mim, mas, pensando bem, esses objetivos sempre foram metas mais de longo prazo. E todos aqueles testes, mesmo os mais lamentáveis, tinham constituído uma experiência de valor incalculável. Em quase todas as vezes eu havia aprendido alguma coisa com eles, alguma lição sobre o cenário de Londres ou então sobre a indústria da música de modo mais geral. Alguns desses testes tinham sido bem profissionais. Você ia parar em algum armazém ou edifício-garagem reformado, e um empresário, ou quem sabe a namorada de algum membro da banda, anotava seu nome e lhe pedia para esperar, oferecendo um chá, enquanto o som da banda ecoava bem alto do recinto ao lado, parando e recomeçando. Mas a maioria dos testes acontecia de forma muito mais desorganizada. Na verdade, quando você via a forma como a maioria das bandas se comportava, não era de espantar que todo o cenário de Londres estivesse moribundo. Vezes sem conta, eu passava por fileiras de anônimos quintais suburbanos nos arredores da cidade, subia uma escada carregando meu violão e entrava em um apartamento cheirando a ranço com colchões e sacos de dormir espalhados pelo chão e músicos da banda que falavam coisas ininteligíveis e mal olhavam você nos olhos. Eu cantava e tocava enquanto eles me fitavam com um olhar vazio, até um deles encerrar o teste dizendo algo como: "É, bom. Não faz muito o nosso gênero, mas obrigado mesmo assim".

Logo percebi que quase todos esses caras estavam tímidos ou totalmente desconfortáveis com esse processo todo de testes e que se eu puxasse conversa sobre outros assuntos eles ficavam bem mais relaxados. Era nessas horas que eu conseguia todo tipo de informação útil: onde ficavam as casas de espetáculos mais interessantes ou quais eram os nomes das bandas que precisavam de um violonista. Algumas vezes era só uma dica sobre alguma nova banda que valia a pena conhecer. Como já disse, eu nunca ia embora de mãos vazias.

Em geral, as pessoas gostavam muito do meu jeito de tocar

violão, e várias diziam que os meus vocais poderiam ser úteis para harmonias. Mas logo ficou claro que dois fatores pesavam contra mim. O primeiro era que eu não tinha equipamento. Várias bandas queriam alguém que tivesse uma guitarra elétrica, amplificadores, caixas de som, de preferência um meio de transporte, alguém disposto a se encaixar a qualquer momento no cronograma delas de shows. Eu andava a pé e possuía um violão bem ruinzinho. Então, por mais que gostassem do meu trabalho rítmico ou da minha voz, eles não tinham outra escolha senão me dispensar. Era justo.

Muito mais difícil de aceitar era o outro obstáculo principal — e devo dizer que fiquei completamente surpreso com ele. Na verdade, o fato de eu escrever minhas próprias músicas era um problema. Eu não conseguia acreditar nisso. Lá estava eu, em algum apartamento sujo, tocando para um círculo de rostos inexpressivos, e no final, depois de um silêncio que podia durar quinze, trinta segundos, um deles me perguntava em tom desconfiado: "Mas de quem é essa música?". E quando eu respondia que era minha, nessa hora a coisa desandava. Ombros se erguiam de leve, cabeças balançavam, sorrisos de ironia eram trocados, e então vinha a cantilena de sempre me dispensando.

Na enésima vez em que isso aconteceu, fiquei tão irritado que disse:

— Olhem aqui, eu não entendo isso. Vocês querem ser uma banda de cover para sempre? E, mesmo que seja isso que vocês queiram, de onde acham que essas músicas vieram, para começo de conversa? É, isso mesmo. Alguém escreveu!

Mas o cara com quem eu estava falando me olhou com uma expressão vazia e depois disse:

— Não é nada pessoal, cara. É que tem uma porção de manés por aí escrevendo música.

A estupidez desse comportamento, que parecia se espalhar

por todo o cenário londrino, foi um fator crucial para me convencer de que havia algo, senão completamente podre, então pelo menos extremamente raso e espúrio no que estava acontecendo ali, no nível mais primitivo do processo, e que isso era sem dúvida um reflexo do que acontecia na indústria da música bem lá no alto da cadeia.

Foi essa consciência, assim como o fato de que, com a chegada do verão, os pisos onde eu podia dormir estavam começando a escassear, que me fez sentir que, por mais fascinante que fosse Londres — meus dias de universidade pareciam cinzentos em comparação com aquilo —, seria bom dar um tempo da cidade. Então liguei para minha irmã Maggie, que tem um café com o marido nas colinas de Malvern Hills, e assim ficou resolvido que eu iria passar o verão com eles.

Maggie é quatro anos mais velha do que eu e vive preocupada comigo, então eu sabia que ela seria favorável à minha visita. Na verdade, percebi que ela ficou satisfeita com aquela ajuda extra. Quando digo que o seu café fica em Malvern Hills, não quero dizer que fica em Great Malvern ou na beira da autoestrada A, mas literalmente lá no alto das colinas. É uma antiga casa vitoriana solitária e voltada para oeste, de modo que, quando o tempo está bom, é possível tomar chá e comer bolo na varanda com uma vista panorâmica de Herefordshire. No inverno, Maggie e Geoff têm de fechar as portas, mas no verão o café vive cheio, sobretudo de moradores da região — que param seus carros no estacionamento West of England algumas centenas de metros abaixo e sobem a ladeira ofegantes com suas sandálias e seus vestidos floridos —, ou então de adeptos de caminhadas, com seus mapas e equipamentos profissionais.

De acordo com Maggie, ela e Geoff não tinham como me

pagar, o que para mim estava ótimo porque significava que não podiam esperar que eu trabalhasse muito para eles. Apesar disso, como eu estava ganhando casa e comida, o acordo parecia ser que eu seria um terceiro membro da equipe. A situação não estava muito clara, e no início Geoff, em especial, parecia dividido entre chutar minha bunda por não trabalhar o suficiente ou se desculpar por me pedir para fazer qualquer coisa, como se eu fosse um hóspede. Mas as coisas logo entraram em uma rotina.

O trabalho era bem fácil — eu era especialmente bom na montagem de sanduíches —, e às vezes eu precisava ficar lembrando a mim mesmo meu principal objetivo de ter ido para lá: escrever uma leva novinha de músicas e deixá-las prontas para minha volta a Londres, no outono.

Eu acordo naturalmente cedo, mas logo descobri que o horário do café da manhã era um pesadelo, com clientes pedindo ovos preparados assim ou assado, torradas desse ou daquele jeito, e tudo sempre muito bem cozido. Então passei a tomar cuidado para não aparecer antes de umas onze horas. Enquanto todo esse tumulto acontecia lá embaixo, eu abria a grande *bay window* do meu quarto, ia me sentar no largo peitoril da janela e ficava tocando violão e admirando os quilômetros e mais quilômetros de paisagem rural. Logo depois da minha chegada, tivemos uma sequência de manhãs muito límpidas, o que era uma sensação fantástica, como se minha visão fosse infinita, e quando eu tocava tinha a impressão de que meus acordes ecoavam pelo país inteiro. Só quando me virava e punha a cabeça para fora da janela era que tinha uma vista aérea da varanda do café lá embaixo e tomava consciência das pessoas entrando e saindo com seus cachorros e carrinhos de bebê.

Não era uma região desconhecida para mim. Maggie e eu tínhamos sido criados a poucos quilômetros dali, em Pershore, e nossos pais sempre nos levavam para passear pelas colinas. Mas na época eu nunca gostava muito de fazer isso, e assim que tive idade suficiente comecei a me recusar a acompanhá-los. Nesse verão, porém, eu tinha a impressão de que aquele era o lugar mais bonito do mundo; de que, sob muitos aspectos, era das colinas que eu viera e a elas pertencia. Talvez isso tivesse alguma coisa a ver com a separação de nossos pais, com o fato de já fazer algum tempo que a casinha cinza em frente ao salão de cabeleireiro não era mais a "nossa" casa. Qualquer que fosse o motivo, dessa vez, no lugar da claustrofobia que eu me lembro que sentia quando criança, senti afeto e até nostalgia por aquela região.

Peguei-me fazendo passeios quase diários pelas colinas, às vezes com meu violão, quando tinha certeza de que não iria chover. Gostava especialmente das colinas de Table Hill e End Hill, no extremo norte da cadeia, que costumavam ser ignoradas pelos turistas. Ali, eu às vezes passava horas perdido em pensamentos, sem ver ninguém. Era como se eu descobrisse as colinas pela primeira vez, e quase podia sentir o gostinho das ideias de novas músicas se acumulando na minha cabeça.

Mas trabalhar no café era outra história. Enquanto eu estava preparando uma salada, escutava uma voz, ou via um rosto se aproximar do balcão, que me transportava de volta para uma fase anterior da minha vida. Velhos amigos dos meus pais apareciam para me perguntar o que eu estava fazendo da vida, e eu era obrigado a mentir até eles resolverem me deixar em paz. Em geral, eles suspiravam dizendo algo como: "Bom, pelo menos você está fazendo alguma coisa", meneando a cabeça em direção às fatias de pão e rodelas de tomate antes de voltarem para suas mesas carregando xícaras e pires. Ou então alguém que eu conhecia da época da escola entrava e começava a falar comigo com sua nova voz de "universidade", talvez dissecando o último filme do Batman com uma linguagem muito inteligente ou entabulando uma conversa sobre as verdadeiras causas da pobreza mundial.

Eu não ligava muito para nada disso. Na verdade, fiquei genuinamente feliz em encontrar algumas daquelas pessoas. Houve uma delas, contudo, que ao entrar no café naquele verão fez meu corpo congelar no mesmo instante em que a vi, e quando me ocorreu ir me refugiar na cozinha ela já tinha me visto.

Era a sra. Fraser — ou a Bruxa Fraser, como costumávamos chamá-la. Eu a reconheci assim que ela entrou trazendo pela coleira um pequeno buldogue enlameado. Tive vontade de lhe dizer que ela não podia entrar com o cachorro, embora as pessoas sempre fizessem isso quando vinham buscar alguma coisa. A Bruxa Fraser tinha sido minha professora na escola de Pershore. Felizmente, ela se aposentou antes de eu entrar no último ano, mas na minha lembrança sua sombra escurece toda a minha vida escolar. Com exceção dela, a escola não era tão ruim assim, mas ela implicou comigo desde o início, e quando você tem apenas onze anos não há como se defender de alguém como ela. Seus truques eram os truques habituais dos professores perversos, como me perguntar durante a aula exatamente as coisas que ela sabia que eu não seria capaz de responder, e depois me obrigar a levantar e fazer a turma inteira rir de mim. Mais tarde, sua estratégia ficou mais sutil. Lembro-me de certa vez, quando eu tinha catorze anos, em que um professor novo chamado sr. Travis havia brincado comigo durante a aula. Não brincadeiras a meu respeito, mas como se fôssemos iguais, e a turma tinha rido, e eu me sentira bem com aquilo. Só que alguns dias depois eu estava descendo o corredor e o sr. Travis veio na direção contrária conversando com *ela*, e quando me aproximei ela me parou e me deu um esporro tremendo por causa de um dever de casa atrasado ou alguma coisa assim. A questão é que ela só fez isso para o sr. Travis saber que eu era um "encrenqueiro"; que, se ele havia pensado um instante sequer que eu fosse um dos meninos dignos do seu respeito, estava cometendo um baita erro. Talvez fosse por ela ser velha, não sei, mas os outros professores nunca pareciam ver a sua maldade. Ninguém questionava nada do que ela dizia.

Quando a Bruxa Fraser entrou no café naquele dia, ficou óbvio que se lembrava de mim, mas ela não sorriu nem me chamou pelo nome. Comprou um chá e um pacote de biscoitos de creme e levou-os para a varanda lá fora. Achei que fosse só isso.

Mas então, pouco depois, ela tornou a entrar, pôs a xícara vazia e o pires no balcão e disse:

— Como você não foi tirar a mesa, eu mesma trouxe a louça de volta. — Lançou-me um olhar que durou um ou dois segundos a mais do que o normal, seu velho olhar de ah-se-eu-pudesse-esmagar-você-feito-um-mosquito, e foi embora.

Todo o meu ódio pelo velho dragão voltou, e quando Maggie desceu alguns minutos depois eu estava soltando fumacinha. Ela percebeu na hora e me perguntou qual era o problema. Havia alguns clientes lá fora na varanda, mas ninguém dentro, então comecei a gritar, chamando a Bruxa Fraser de todos os palavrões que ela merecia. Maggie conseguiu me acalmar e depois disse:

— Bom, ela não é mais professora de ninguém. É só uma velha que foi abandonada pelo marido.

— Não me espanta.

— Mas ela dá uma certa pena. Logo quando achou que fosse poder aproveitar a aposentadoria, foi trocada por uma mulher mais jovem. E agora tem que administrar sozinha aquele *bed and breakfast*, e dizem que o lugar está caindo aos pedaços.

Isso tudo me deixou felicíssimo. Em seguida, esqueci a Bruxa Fraser, porque um grupo entrou no café e tive de preparar várias saladas de atum. Mas, alguns dias depois, quando eu conversava com Geoff na cozinha, ele me contou mais alguns detalhes; por exemplo, como o marido dela de mais de quarenta anos havia se mandado com a secretária e como seu hotel tinha tido um início razoável, mas agora, de acordo com as fofocas, os hóspedes estavam pedindo o dinheiro de volta ou indo embora poucas horas depois de chegar. Eu próprio vi o hotel certa vez, quando ajudava Maggie com as compras e passamos em frente a ele. O hotel da Bruxa Fraser ficava bem na Elgar Route, uma casa de granito bastante sólida com um imenso cartaz que dizia "Malvern Lodge". Mas não quero ficar falando demais sobre a Bruxa Fraser. Não estou obcecado por ela nem pelo seu hotel. Só estou mencionando isso aqui por causa do que aconteceu depois, quando Tilo e Sonja entraram no café.

Geoff tinha ido até Great Malvern nesse dia, de modo que eu estava sozinho com Maggie cuidando do café. O horário mais movimentado do almoço havia passado, mas quando os alemães chegaram ainda havia bastante gente. Eu os registrei na minha mente como "os alemães" na mesma hora em que escutei seu sotaque. Não por racismo. Quando você precisa ficar atrás de um balcão e se lembrar de quem não quer beterraba, de quem quer pão extra e de quem quer que ponha o que em qual conta, não tem outra escolha senão transformar todos os clientes em personagens, inventar nomes, identificar peculiaridades físicas. Cara de Jumento pedia um *ploughman's* — pão, queijo e salada — com dois cafés. Winston Churchill e a mulher pediam baguetes com maionese de atum. Era assim que eu fazia. Então Tilo e Sonja viraram "os alemães".

Fazia muito calor nessa tarde, mas mesmo assim a maioria dos clientes — sendo inglesa — queria sentar lá fora na varanda, alguns deles até evitando os guarda-sóis para poderem ficar vermelhos feito pimentões debaixo do sol. Os alemães, porém, resolveram se sentar na sombra, do lado de dentro. Os dois usavam calça bege folgada, tênis e camiseta, e de certa forma pareciam elegantes, como acontece muitas vezes com as pessoas que não são da Inglaterra. Imagino que estivessem na casa dos quarenta, talvez cinquenta e poucos anos — nessa hora não prestei muita atenção. Almoçaram conversando baixinho um com o outro, e pareciam um típico casal europeu simpático de meia-idade. Então, dali a pouco levantaram-se e começaram a passear pelo salão, parando para examinar uma fotografia desbotada que Maggie tinha pendurado na parede mostrando a casa como era em 1915. Então o homem abriu os braços e disse:

— Mas que região maravilhosa a sua! Nós temos muitas montanhas bonitas na Suíça. Mas aqui é diferente. Aqui são colinas. Vocês as chamam de colinas. Elas têm um charme especial, porque são suaves e acolhedoras.

— Ah, vocês são suíços — comentou Maggie com sua voz educada. — Eu sempre quis ir à Suíça. Parece fantástico: os Alpes, os teleféricos.

— É claro, nosso país tem muitas coisas bonitas. Mas aqui, neste lugar, há um charme especial. Há muito tempo queríamos visitar esta parte da Inglaterra. Sempre falávamos nisso, e agora finalmente estamos aqui! — Ele deu uma sonora risada. — Estou tão feliz por estar aqui!

— Que maravilha — disse Maggie. — Espero que gostem mesmo. Vão ficar muito tempo?

— Mais três dias, depois temos que voltar para o trabalho. Queríamos vir aqui desde que assistimos a um documentário incrível sobre Elgar muitos anos atrás. Elgar obviamente adorava estas colinas, que explorou de cabo a rabo de bicicleta. E agora finalmente estamos aqui!

Maggie passou alguns minutos batendo papo com ele sobre lugares que o casal já havia visitado na Inglaterra, sobre o que deveriam ver nos arredores, as coisas habituais que se deve dizer aos turistas. Eu já tinha ouvido aquilo tudo várias vezes, então deixei de prestar atenção. Só registrei que os alemães na verdade eram suíços e que estavam viajando em um carro alugado.

Ele não parava de comentar como a Inglaterra era maravilhosa e como todo mundo tinha sido gentil com eles, e emitia grandes risadas ruidosas sempre que Maggie dizia qualquer coisa remotamente engraçada. Mas, como eu disse, eu havia parado de prestar atenção, tomando-os apenas por um casal um tanto maçante. Só comecei a prestar atenção de novo instantes depois, quando percebi como o cara não parava de tentar incluir a mulher na conversa, e como ela continuava calada, com os olhos cravados no guia e agindo como se não estivesse escutando conversa nenhuma. Foi então que os examinei mais de perto.

Os dois ostentavam bronzeados uniformes, naturais, muito diferentes dos ingleses da varanda, que mais pareciam camarões suados, e apesar da idade eram ambos esguios e atléticos. Ele tinha os cabelos grisalhos mas fartos, penteados com cuidado, embora em um estilo que lembrava vagamente os anos 1970, um pouco parecido com os músicos do Abba. Ela era loura, quase platinada, e tinha um rosto severo, com pequenas rugas ao redor da boca que estragavam o que sem isso teria sido uma beleza madura. Então, como eu dizia, ele estava ali tentando incluir a mulher na conversa.

— É claro que a minha mulher gosta muito de Elgar, por isso teria muita curiosidade de visitar a casa onde ele nasceu.

Silêncio.

Ou:

— Eu não sou um grande fã de Paris, devo confessar. Prefiro muito mais Londres. Mas Sonja adora Paris.

Nada.

Sempre que ele dizia alguma coisa assim, virava-se para a mulher no canto, e Maggie era obrigada a olhar na sua direção, mas mesmo assim a mulher não tirava os olhos do guia. O homem não pareceu especialmente incomodado com isso, e continuou falando animado. Então tornou a abrir os braços e disse:

— Se vocês me dão licença, acho que vou admirar um pouco a sua esplêndida vista!

Ele saiu, e pudemos vê-lo passeando pela varanda. Então desapareceu da nossa linha de visão. A mulher continuou no canto, lendo o guia, e depois de algum tempo Maggie foi até sua mesa e começou a tirar os pratos. A mulher a ignorou por completo até minha irmã pegar um prato que ainda continha um minúsculo pedaço de brioche. Então ela fechou o livro com um baque repentino e disse, muito mais alto do que o necessário:

— Eu ainda não terminei!

Maggie pediu desculpas e a deixou com seu pedaço de brioche — que eu percebi que a mulher nem fez menção de tocar. Maggie olhou para mim ao passar e dei de ombros. Então, depois de alguns instantes minha irmã perguntou à mulher, muito delicadamente, se ela queria mais alguma coisa.

— Não. Não quero mais nada.

Pelo tom de sua voz, percebi que era melhor deixar a mulher em paz, mas com Maggie aquilo era uma espécie de reflexo. Como se realmente quisesse saber, ela perguntou:

— Correu tudo bem?

Durante pelo menos cinco ou seis segundos, a mulher continuou a ler como se não houvesse escutado. Então tornou a pousar o livro e olhou com raiva para a minha irmã.

— Já que a senhora está perguntando — disse ela —, eu vou lhe dizer. A comida estava bastante razoável. Melhor do que em muitos desses lugares horríveis que vocês têm por aqui. Mas nós precisamos esperar trinta e cinco minutos só para nos servirem um sanduíche e uma salada. Trinta e cinco minutos.

Então percebi que aquela mulher estava lívida de raiva. Não daquele tipo de raiva que acomete alguém de repente e depois vai embora. Não: eu podia ver que aquela mulher já estava com uma raiva contida havia algum tempo. É o tipo de raiva que aparece e se mantém, em um nível constante, como uma dor de cabeça forte, sem nunca atingir o ápice e recusando-se a encontrar um canal adequado para se liberar. Maggie sempre tem um humor tão controlado que não seria capaz de reconhecer os sintomas, e provavelmente pensou que a mulher estivesse reclamando de forma mais ou menos racional. Então ela se desculpou e começou a dizer:

— Mas a senhora entende, quando há um movimento grande...

— E com certeza isso acontece todos os dias, não? Não é assim? Todos os dias, no verão, quando o tempo está bonito não há um movimento grande como esse? Então? Por que vocês não conseguem se preparar? Uma coisa que acontece todos os dias pegou vocês de surpresa. É isso que está me dizendo?

A mulher olhava para minha irmã com ódio, mas, quando saí de trás do balcão para me postar ao lado de Maggie, ela voltou os olhos para mim. E talvez tenha sido algo na expressão do meu rosto, mas vi sua raiva aumentar um pouco mais. Maggie se virou, olhou para mim e começou a me empurrar delicadamente para longe, porém eu resisti e continuei olhando para a mulher. Queria que ela soubesse que a briga não era apenas entre ela e Maggie. Só Deus sabe aonde isso teria nos levado, mas nesse instante o marido reapareceu.

— Que vista maravilhosa! Uma vista maravilhosa, um almoço maravilhoso, um país maravilhoso!

Esperei que ele se desse conta de como estava a situação, mas, se ele percebeu, não deu mostras de levar isso em conta. Sorriu para a mulher e disse em inglês, imagino que para podermos entender:

— Sonja, você precisa ir lá fora dar uma olhada. Vá até o final daquele caminhozinho ali!

Ela disse alguma coisa em alemão, depois retornou ao guia. Ele entrou mais um pouco no café e nos disse:

— Nós pensamos em ir de carro até o País de Gales hoje à tarde. Mas estas suas Malvern Hills são tão maravilhosas que acho que talvez passemos nossos últimos três dias de férias aqui. Se Sonja concordar, eu vou ficar felicíssimo!

Ele olhou para a mulher, que deu de ombros e disse alguma outra coisa em alemão que o fez soltar sua risada alta e franca.

— Que bom! Ela concordou! Então está combinado. Não vamos mais para o País de Gales. Vamos passar os próximos três dias aqui na sua região!

Ele nos olhou, radiante, e Maggie disse algumas palavras de incentivo. Fiquei aliviado quando vi a mulher largar o livro e se preparar para ir embora. O homem também foi até a mesa, pegou uma mochila pequena e a pôs no ombro. Então disse para Maggie:

— Eu estava pensando. Será que por acaso tem algum hotelzinho aqui por perto que vocês pudessem nos recomendar? Nada muito caro, mas confortável e agradável. E se possível tipicamente inglês!

Maggie ficou um pouco sem saber como reagir ao pedido e protelou a resposta dizendo algo sem significado, do tipo: "Que espécie de lugar vocês queriam?". Mas eu fui logo falando:

— O melhor lugar por aqui é o hotel da senhora Fraser. Fica logo ali, na estrada para Worcester. Chama-se Malvern Lodge.

— Malvern Lodge! Parece perfeito!

Maggie se virou para o outro lado com ar de reprovação, e fingiu tirar mais coisas da mesa enquanto eu lhes dava todos os detalhes sobre como encontrar o hotel da Bruxa Fraser. Então o casal foi embora, o cara nos agradecendo com largos sorrisos, a mulher sem olhar para trás.

Minha irmã me lançou um olhar cansado e balançou a cabeça. Eu simplesmente ri e falei:

— Preciso admitir uma coisa: aquela mulher e a Bruxa Fraser de fato se merecem. Era uma oportunidade boa demais para ser perdida.

— Para você não há nenhum problema em se divertir assim — disse Maggie, esbarrando em mim no caminho para a cozinha. — Mas quem mora aqui sou eu.

— E daí? Olhe só, você nunca mais vai ver esses alemães na vida. E se a Bruxa Fraser descobrir que nós recomendamos seu hotel para turistas em trânsito, ela não vai reclamar, vai?

Maggie tornou a balançar a cabeça, mas dessa vez sua expressão estava mais sorridente.

Depois disso o café ficou mais tranquilo, e em seguida Geoff voltou, então fui para o andar de cima, sentindo que por ora já tinha feito mais do que a minha parte. No quarto, sentei-me na *bay window* com meu violão e passei algum tempo entretido com uma música ainda pela metade que eu estava compondo. Mas então — e muito pouco tempo pareceu ter passado — ouvi o movimento do chá da tarde começando lá embaixo. Se o café ficasse cheio demais, como em geral ficava, Maggie provavelmente iria me pedir para descer — o que não seria nada justo, visto quanto eu já havia trabalhado. Então decidi que o melhor a fazer seria sair para passear pelas colinas e continuar a trabalhar lá.

Saí pelos fundos sem cruzar com ninguém, e imediatamente fiquei feliz por estar ao ar livre. Mas fazia bastante calor, sobretudo com um estojo de violão para carregar, e me alegrei com a brisa.

Eu estava indo para um lugar específico que havia descoberto na semana anterior. Para chegar lá, era preciso pegar um caminho íngreme atrás da casa, depois andar durante alguns minutos por um declive mais gradual até chegar a um banco. Era um lugar que eu tinha escolhido com cuidado, não apenas por causa da vista fantástica mas porque não ficava em uma daquelas encruzilhadas em que pessoas acompanhadas de crianças exaustas chegavam cambaleando para se sentar ao seu lado. Tampouco era totalmente isolado, e de vez em quando algum trilheiro passava dizendo "Oi!" daquele jeito típico que eles têm, talvez acrescentando algum comentário engraçadinho sobre meu violão, tudo sem diminuir o passo. Isso não me incomodava nem um pouco. Era mais ou menos como ter e não ter um público, e instigava a minha imaginação na medida exata.

Fazia mais ou menos meia hora que eu estava ali no meu banco, quando percebi que dois trilheiros, que haviam acabado de passar com o habitual cumprimento sucinto, tinham agora parado a vários metros de distância e estavam olhando para mim. Fiquei bastante incomodado e falei com certo sarcasmo:

— Tudo bem. Não precisam me dar dinheiro.

A resposta para isso foi uma risada alta e sonora que eu reconheci e, quando ergui os olhos, vi os alemães caminhando de volta em direção ao banco.

A possibilidade de os dois terem ido ao hotel da Bruxa Fraser, percebido que eu os tinha enganado e estarem vindo tirar satisfação comigo passou pela minha cabeça. Mas então vi que os dois sorriam alegremente, não apenas o homem, mas a mulher também. Voltaram pelo mesmo caminho que tinham feito antes até pararem na minha frente, e como a essa altura o sol já estava se pondo, por um instante eles pareceram apenas duas silhuetas com o grande sol da tarde a iluminá-los por trás. Então chegaram mais perto e notei que estavam olhando para o meu violão — que eu continuava a tocar — com uma expressão de espanto feliz, do mesmo jeito que as pessoas olham para um bebê. Mais surpreendente ainda era que a mulher batia o pé no mesmo compasso da minha música. Fiquei encabulado e parei de tocar.

— Ei, continue! — disse a mulher. — É muito bom isso que você está tocando.

— É — disse o marido —, é maravilhoso! Nós ouvimos de longe. — Ele apontou. — Estávamos lá em cima, naquele cume, e eu disse para Sonja: estou escutando música.

— E canto também — disse a mulher. — Eu disse para Tilo: escute, tem alguém cantando em algum lugar. E eu estava certa, não é? Você estava cantando agora há pouco.

Eu não conseguia aceitar por completo que aquela mulher sorridente fosse a mesma que havia sido tão desagradável conosco na hora do almoço, e tornei a olhar para eles com atenção, para ter certeza de que não era outro casal. Mas eles estavam usando as mesmas roupas e, embora os cabelos ao estilo Abba do homem estivessem um pouco despenteados por causa do vento, não havia como errar. De toda forma, instantes depois ele disse:

— Acho que você é o cavalheiro que nos serviu o almoço naquele restaurante delicioso.

Eu respondi que sim, era eu. Então a mulher disse:

— Essa melodia que você estava cantando agora há pouco. Nós a ouvimos lá em cima, no início só trazida pelo vento. Adorei o jeito como as notas desciam no final de cada verso.

— Obrigado — falei. — É só uma música que estou compondo. Ainda não terminei.

— Você mesmo está compondo? Então deve ser muito talentoso! Por favor, cante a sua melodia de novo como estava fazendo antes.

— Escute — disse o cara —, quando você for gravar a sua música, deve dizer ao produtor que é *assim* que quer que ela soe. Desse jeito! — Ele gesticulou atrás de si para onde o Herefordshire se estendia à nossa frente. — Deve dizer a ele que é esse o som, o ambiente, a aura de que precisa. Assim, as pessoas vão ouvir a sua música como nós a ouvimos hoje, carregada pelo vento enquanto descíamos a encosta da colina...

— Só que um pouco mais nítida, é claro — disse a mulher. — Senão o ouvinte não vai entender a letra. Mas Tilo tem razão. Tem que haver uma sugestão de espaço aberto. De ar, de eco.

Eles pareciam à beira da histeria, como se houvessem acabado de cruzar com um outro Elgar nas colinas. Apesar da minha desconfiança inicial, comecei a sentir alguma simpatia por eles.

— Bem — falei —, como eu escrevi a maior parte da música aqui, não é de espantar que ela contenha um pouco deste lugar.

— É, é — disseram os dois ao mesmo tempo, meneando a cabeça. Então a mulher falou. — Você deve ser tímido. Por favor, toque a sua música para nós. Parecia maravilhosa.

— Está bem — eu disse, dedilhando as cordas do violão.

— Está bem, se vocês querem mesmo, vou cantar uma canção. Não a que ainda não terminei. Outra. Mas olhem, não vou conseguir tocar com vocês em cima de mim desse jeito.

— Claro — disse Tilo. — Como estamos sendo insensíveis... Sonja e eu já fomos obrigados a nos apresentar em tantas condições estranhas e difíceis que não nos damos mais conta das necessidades de outro músico.

Ele olhou em volta e se sentou em um trecho de grama baixa junto à trilha, de costas para mim e de frente para a vista. Sonja lançou-me um sorriso encorajador e depois foi se sentar ao lado do marido. Ele imediatamente passou um braço em volta dos ombros da mulher, ela se inclinou em direção a ele, e então foi como se eu não estivesse mais ali e os dois desfrutassem um momento de intimidade romântica admirando a paisagem de fim de tarde.

— Está bem, lá vai — falei, e comecei a tocar a música com a qual geralmente começo meus testes. Cantei projetando a voz em direção ao horizonte, mas não parava de olhar de relance para Tilo e Sonja. Embora não pudesse ver o rosto deles, a forma como continuaram aninhados um junto ao outro, sem nenhum sinal de desconforto, me confirmou que estavam gostando do que ouviam. Quando terminei, eles se viraram para mim com largos sorrisos e aplaudiram, fazendo as palmas ecoarem pelas colinas.

— Fantástico! — disse Sonja. — Que talento!

— Esplêndido, esplêndido — dizia Tilo.

Fiquei um pouco envergonhado com isso e fingi que estava entretido tocando alguns acordes. Quando finalmente tornei a erguer os olhos, os dois continuavam sentados no chão, mas agora haviam mudado de posição para poderem me ver.

— Então vocês são músicos? — perguntei. — Quero dizer, músicos *profissionais*?

— Somos — respondeu Tilo —, acho que se pode dizer que nós somos profissionais. Sonja e eu formamos um dueto. Fazemos apresentações em hotéis, restaurantes, casamentos, festas. Por toda a Europa, mas gostamos mais de trabalhar na Suíça e na Áustria. É assim que ganhamos a vida, então, sim, somos profissionais.

— Mas acima de tudo — disse Sonja — nós tocamos porque acreditamos na música. Posso ver que no seu caso é a mesma coisa.

— Se eu parasse de acreditar na minha música — falei —, eu pararia de tocar, é simples assim. — Então continuei. — Eu gostaria muito de tocar profissionalmente. Deve ser uma vida boa.

— Ah, sim, é uma vida boa — disse Tilo. — Temos sorte de poder fazer o que fazemos.

— Escutem — falei, talvez de forma um pouco súbita. — Vocês foram para aquele hotel que eu indiquei?

— Mas que falta de educação a nossa! — exclamou Tilo. — Ficamos tão arrebatados com a sua música que nos esquecemos completamente de agradecer. Sim, nós fomos para lá e o lugar é perfeito. Por sorte eles ainda tinham quartos vagos.

— Era justamente o que queríamos — disse Sonja. — Obrigada.

Mais uma vez fingi estar entretido com meus acordes. Então falei, no tom mais casual de que fui capaz:

— Pensando bem, conheço outro hotel. Acho que é melhor do que o Malvern Lodge. Acho que vocês deveriam trocar.

— Ah, mas já estamos tão bem instalados — disse Tilo. — Já desfizemos as malas, e além do mais o hotel é justamente o que precisamos.

— Sim, mas... Bom, a verdade é que antes, quando vocês me perguntaram sobre um hotel, eu não sabia que eram músicos. Pensei que fossem banqueiros ou algo assim.

Os dois começaram a rir como se eu tivesse contado uma piada incrível. Então Tilo disse:

— Não, não, nós não somos banqueiros. Mas houve muitas vezes em que tivemos vontade de ser!

— O que estou dizendo — continuei — é que há outros hotéis muito mais apropriados a artistas. É difícil quando desconhecidos pedem para você recomendar um hotel antes de você saber que tipo de pessoas eles são.

— É muita gentileza sua se preocupar — disse Tilo. — Mas, por favor, não precisa fazer isso. O hotel está perfeito. Além disso, as pessoas não são tão diferentes assim. Banqueiros, músicos, no final das contas todos nós queremos a mesma coisa da vida.

— Não tenho certeza de que isso seja tão verdade assim, sabe? — comentou Sonja. — Veja o nosso jovem amigo aqui: ele não está procurando nenhum emprego em banco. Os sonhos dele são outros.

— Talvez você tenha razão, Sonja. Mesmo assim, o hotel está ótimo.

Inclinei-me por cima das cordas e me entretive treinando outra pequena frase, e durante alguns segundos ninguém disse nada. Então perguntei:

— Que tipo de música vocês tocam?

Tilo deu de ombros.

— Sonja e eu tocamos vários instrumentos. Nós dois tocamos teclado. Eu gosto do clarinete. Sonja é muito boa violinista e também uma esplêndida cantora. Acho que o que mais gostamos de fazer é tocar nossa música folclórica suíça tradicional, mas de um jeito contemporâneo. Algumas vezes de um jeito que se poderia até chamar de radical. Nos inspiramos nos grandes compositores que enveredaram por caminhos parecidos. Janáček, por exemplo. Ou o seu conterrâneo Vaughan Williams.

— Mas agora já não tocamos tanto esse tipo de música — disse Sonja.

Os dois se entreolharam com o que achei ser um levíssimo toque de tensão. Então o sorriso habitual de Tilo voltou a se abrir em seu rosto.

— Sim, como diz Sonja, nós, neste mundo real, na maior parte do tempo tocamos o que o nosso público tem mais probabilidade de apreciar. Então tocamos muitos hits. Beatles, Carpenters. Algumas canções mais recentes. É perfeitamente satisfatório.

— E Abba? — perguntei por impulso, para depressa me arrepender. Mas Tilo não pareceu perceber nenhum tom de zombaria.

— Sim, de fato, tocamos um pouco de Abba. "Dancing Queen". Essa sempre faz sucesso. Na verdade, em "Dancing Queen" eu chego até a cantar um pouco, faço uma pequena participação na harmonia. Sonja dirá a você que tenho uma voz horrível. Então temos de prestar atenção para só tocar essa música quando nossos clientes estão bem no meio da refeição, quando eles não têm possibilidade de fugir!

Ele deu sua risada sonora, e Sonja também riu, embora não tão alto. Um ciclista de velocidade, vestido com o que parecia ser uma roupa de borracha preta, passou zunindo por nós, e por alguns instantes ficamos os três fitando sua forma frenética se distanciando.

— Eu fui à Suíça uma vez — falei depois de algum tempo. — Alguns verões atrás. Fui a Interlaken. Fiquei no albergue da juventude de lá.

— Ah, sim, Interlaken. Lá é lindo. Alguns suíços desdenham o lugar. Dizem que é só para turistas. Mas Sonja e eu adoramos nos apresentar lá. Na verdade, tocar em Interlaken em uma noite de verão para pessoas felizes do mundo inteiro é algo realmente maravilhoso. Espero que tenha gostado da visita.

— Sim, foi ótimo.

— Em Interlaken há um restaurante onde tocamos algumas noites todo verão. Nos apresentamos debaixo do toldo do restaurante, de frente para as mesas, que é claro, em uma noite como essa, estão ao ar livre. Durante a apresentação, podemos ver todos os turistas comendo e conversando sob as estrelas. E atrás dos turistas vemos o grande descampado onde durante o dia as asas-deltas vão pousar, mas que à noite fica iluminado pelos postes que margeiam a Höheweg. E, se você olhar mais para longe, pode ver os Alpes ao fundo. O contorno dos montes Eiger, Mönch, Jungfrau. E o ar fica agradavelmente quente, carregado da música que tocamos. Sempre que estamos lá, me sinto um privilegiado. E eu penso: sim, é bom estar fazendo isso.

— Esse restaurante — disse Sonja —, no ano passado o gerente nos obrigou a vestir trajes típicos completos para tocar, apesar de estar fazendo muito calor. Foi muito desconfortável, e nós perguntamos que diferença faz, por que temos de usar estes coletes, estes lenços e chapéus que ficam atrapalhando? Só de blusa já ficamos arrumados e suficientemente suíços. Mas o gerente do restaurante nos disse que ou nós vestíamos o traje típico completo ou não tocávamos. A escolha era nossa, disse ele, e simplesmente foi embora.

— Mas, Sonja, em qualquer trabalho é a mesma coisa. Sempre existe um uniforme, alguma coisa que o patrão insiste para você vestir. É a mesma coisa para os banqueiros! E no nosso caso pelo menos é algo em que acreditamos. A cultura suíça. A tradição suíça.

Mais uma vez, algo levemente desconfortável pairou entre os dois, mas apenas por um ou dois segundos, e então eles sorriram e tornaram a concentrar os olhares no meu violão. Achei que devesse dizer alguma coisa, então falei:

— Acho que eu gostaria disso. Poder tocar em vários países. Deve manter a pessoa alerta, realmente atenta ao público.

— É — disse Tilo —, é bom nos apresentarmos para todo tipo de gente. E não só na Europa. No final das contas, também ficamos conhecendo várias cidades.

— Düsseldorf, por exemplo — disse Sonja. Agora havia alguma coisa diferente em sua voz, algo mais duro, e novamente pude ver a pessoa que havia conhecido no café. Mas Tilo não pareceu perceber nada, e me disse com ar descontraído:

— Düsseldorf é onde mora o nosso filho. Ele tem a sua idade. Talvez um pouco mais.

— No começo deste ano — disse Sonja —, nós fomos a Düsseldorf. Tínhamos uma apresentação marcada lá. É raro isso acontecer, uma oportunidade para tocar a nossa verdadeira música. Então ligamos para ele, nosso filho, nosso único filho, ligamos para dizer que estávamos indo visitar a sua cidade. Ele não atendeu o telefone, então deixamos um recado. Deixamos vários recados. Ele não respondeu. Chegamos a Düsseldorf e deixamos mais recados. Dissemos estamos aqui, na sua cidade. E mesmo assim nada. Tilo disse não se preocupe, talvez ele apareça no dia do nosso espetáculo. Mas ele não apareceu. Nós tocamos, depois fomos embora para outra cidade, para o nosso compromisso seguinte.

Tilo deu uma risadinha abafada.

— Acho que talvez Peter tenha se cansado de escutar a nossa música quando era pequeno! O pobrezinho era obrigado a nos ouvir ensaiar dia após dia, entende?

— Acho que isso pode ser um pouco complicado — falei. — Ter filhos e ser músico.

— Nós só tivemos um filho — disse Tilo —, então não foi tão ruim assim. É claro que tivemos sorte. Quando precisávamos viajar e não podíamos levar o menino conosco, os avós sempre ficavam encantados em ajudar. E quando Peter cresceu pudemos mandá-lo para um bom colégio interno. Mais uma vez, os avós apareceram para ajudar. Se não fossem eles, não poderíamos ter pagado a escola. Então tivemos muita sorte.

— Sim, tivemos sorte — disse Sonja. — Só que Peter odiava o colégio.

O clima agradável de antes estava definitivamente indo embora. Em um esforço para animar a conversa, falei depressa:

— Bom, de toda forma parece que vocês dois gostam muito do trabalho que fazem.

— Ah, sim, gostamos do nosso trabalho — disse Tilo. — O trabalho é tudo para nós. Mesmo assim, gostamos muito de tirar férias. Estas são as nossas primeiras férias de verdade em três anos, sabia?

As palavras dele fizeram eu me sentir novamente muito mal e pensei em tentar outra vez fazê-los mudar de hotel, mas percebi como isso soaria ridículo. Eu só podia torcer para a Bruxa Fraser dar conta do recado. Em vez disso, falei:

— Olhem, se vocês quiserem posso tocar aquela música em que eu estava trabalhando. Ainda não terminei, e normalmente não faço isso. Mas, como vocês já ouviram um pedaço, não me importo de tocar para vocês o que já compus.

O sorriso tornou a aparecer no rosto de Sonja.

— Sim — disse ela —, por favor, deixe-nos escutar. Era tão linda.

Enquanto eu me preparava para tocar, eles tornaram a mudar de posição e ficaram novamente de frente para a vista e de costas para mim. Dessa vez, no entanto, em vez de se abraçarem, ficaram sentados na grama com as costas surpreendentemente eretas, os dois com as mãos encostadas na testa para proteger os olhos do sol. Ficaram assim durante todo o tempo que toquei, curiosamente imóveis; com seus dois corpos lançando uma sombra comprida sob o sol da tarde, eles pareciam um par de obras de arte. Encerrei de forma um pouco hesitante a canção ainda incompleta, e eles passaram alguns instantes sem se mexer. Então sua postura relaxou e os dois aplaudiram, embora talvez não com o mesmo entusiasmo da primeira vez. Tilo se levantou murmurando elogios, depois ajudou Sonja a se levantar. Só quando você os via fazerem isso é que se lembrava de que, na realidade, os dois já estavam bem avançados na meia-idade. Mas talvez estivessem apenas cansados. Podiam muito bem já ter andado bastante antes de me encontrar. De toda forma, me pareceu que eles tiveram um bocado de dificuldade para se levantar.

— Mas que apresentação maravilhosa a sua — dizia Tilo.

— Agora somos nós os turistas e outra pessoa está tocando para ouvirmos! Que mudança agradável.

— Eu adoraria ouvir essa canção quando estiver pronta — disse Sonja, e ela soava realmente sincera. — Talvez um dia eu a ouça no rádio. Quem sabe?

— Sim — disse Tilo —, e então Sonja e eu vamos tocar a versão cover para os nossos clientes! — Sua risada sonora ecoou pelo ar. Em seguida fez uma pequena mesura e prosseguiu: — Então hoje ficamos em dívida com você três vezes. Um esplêndido almoço. Uma esplêndida escolha de hotel. E um esplêndido espetáculo aqui nas colinas!

Ao nos despedirmos, tive o impulso de lhes contar a verdade. De confessar que os havia mandado de propósito para o pior hotel da região, e de avisá-los para sair de lá enquanto ainda era tempo. Mas a forma afetuosa como eles apertaram minha mão tornou ainda mais difícil dizer essas coisas. Então eles começaram a descer a colina, e eu voltei a ficar sozinho no banco.

Quando desci das colinas, o café já estava fechado. Maggie e Geoff pareciam exaustos. Maggie disse que aquele havia sido seu dia mais movimentado até então, e parecia satisfeita com isso. No entanto, quando Geoff fez o mesmo comentário durante o jantar — uma coleção de sobras diversas que comemos no café —, falou como se fosse uma coisa negativa, como se o fato de terem tido que trabalhar tanto fosse horrível, e onde eu estava que não apareci para ajudar? Maggie perguntou como tinha sido a minha tarde, e eu não comentei nada sobre Tilo e Sonja — parecia complexo demais —, mas lhe disse que havia subido até a colina Sugarloaf para trabalhar na minha canção. Então, quando ela perguntou se eu tinha avançado e eu respondi que sim, que agora estava realmente progredindo, Geoff se levantou e se retirou, mal-humorado, muito embora ainda houvesse comida em seu prato. Maggie fingiu não perceber, e de fato ele voltou dali a alguns minutos com uma lata de cerveja, e ficou sentado lendo seu jornal sem dizer muita coisa. Como eu não queria ser a causa de uma briga entre minha irmã e meu cunhado, pedi licença logo depois e subi para trabalhar mais um pouco na canção.

Meu quarto, que durante o dia era uma fonte de inspiração, não parecia mais tão atraente assim depois de escurecer. Para começar, as cortinas não se fechavam por completo, de modo que, se eu abrisse uma janela para aliviar o calor sufocante, todos os insetos em um raio de vários quilômetros veriam minha luz e viriam correndo para dentro do quarto. E a luz da qual eu dispunha era apenas uma lâmpada nua pendurada no rebaixamento de gesso do teto, que lançava sombras sinistras pelo quarto, deixando-o ainda mais parecido com o cômodo sobressalente que de fato era. Nessa noite, eu queria luz para trabalhar, para ir escrevendo a letra conforme ela fosse me ocorrendo. Mas o quarto acabou ficando abafado demais, e no final das contas apaguei a lâmpada, abri as cortinas e escancarei as janelas. Então fui me sentar no peitoril com meu violão, do mesmo jeito que havia feito durante o dia.

Estava assim havia mais ou menos uma hora, tocando e experimentando várias ideias para a transição, quando alguém bateu e Maggie passou a cabeça pela porta. Estava tudo escuro, é claro, mas do lado de fora, na varanda, a luz de emergência foi suficiente para eu poder distinguir seu rosto. Ela estava sorrindo de um jeito esquisito e pensei que estivesse prestes a me pedir para ir ajudá-la em mais alguma tarefa. Ela entrou, fechou a porta atrás de si e disse:

— Desculpe, querido, mas Geoff está muito cansado esta noite, ele tem trabalhado muito. E agora está dizendo que gostaria de assistir ao filme dele em paz?

Ela disse a frase assim, como se fosse uma pergunta, e levei alguns instantes para perceber que ela estava me pedindo que eu parasse de tocar.

— Mas eu estou trabalhando numa coisa importante — falei.

— Eu sei. É que ele está mesmo muito cansado esta noite e disse que não consegue relaxar por causa do seu violão.

— O que o Geoff precisa entender — falei — é que, do mesmo jeito que ele tem o trabalho dele para fazer, eu tenho o meu.

Minha irmã pareceu pensar a respeito. Então soltou um fundo suspiro.

— Acho melhor eu não dizer isso ao Geoff.

— Por que não? Já está na hora de ele entender o recado.
— Por que não? Porque eu não acho que ele ficaria muito satisfeito, só por isso. E, na verdade, não acho que ele iria concordar que o trabalho dele e o seu estão exatamente no mesmo nível.

Fiquei encarando Maggie por alguns instantes sem conseguir falar. Então disse:

— Você está falando besteira. Por que está falando tanta besteira?

Ela balançou a cabeça, cansada, mas não disse nada.

— Não entendo por que você está falando tanta besteira — insisti. — E logo quando as coisas estão indo tão bem para mim.

— É mesmo? As coisas estão indo bem para você, querido? — Ela continuou olhando para mim à meia-luz. — Bom, está certo então — disse por fim. — Não vou discutir com você. — Ela se virou para abrir a porta. — Desça para ficar conosco, se quiser — falou enquanto saía.

Paralisado de raiva, fiquei encarando a porta que havia se fechado atrás dela. Tomei consciência dos ruídos abafados da televisão no andar de baixo e, mesmo no estado em que me encontrava, alguma parte isolada do meu cérebro me disse que eu precisava direcionar minha fúria não para Maggie, mas para Geoff, que desde a minha chegada vinha sistematicamente tentando me sabotar. Apesar disso, era da minha irmã que eu estava com raiva. Durante todo o tempo em que eu estava em sua casa, ela não pedira uma vez sequer para escutar uma canção, como Tilo e Sonja haviam feito. Com certeza isso não era esperar demais da própria irmã, e ainda por cima, como eu aliás me lembrava, de alguém que tinha sido uma grande fã de música na adolescência. E agora ali estava ela, me interrompendo quando eu tentava trabalhar e dizendo aquelas besteiras. Todas as vezes em que eu pensava no jeito como ela dissera "Está certo, não vou discutir com você", sentia uma nova onda de fúria varar meu corpo.

Desci do peitoril da janela, guardei o violão e me joguei sobre o colchão. Então passei algum tempo olhando fixamente para as formas no teto. Parecia óbvio que eu tinha sido convidado para aquela casa sob um falso pretexto, que a motivação do convite fora conseguir uma ajuda barata para a alta temporada, alguém que eles nem sequer precisavam pagar. E, assim como o idiota do marido, minha irmã tampouco entendia o que eu estava tentando realizar. Seria benfeito para os dois se eu fosse embora de repente e voltasse para Londres. Fiquei pensando nisso sem parar durante mais ou menos uma hora, quando me acalmei um pouco e resolvi que iria simplesmente dormir.

Não falei muito com nenhum dos dois quando desci, como de hábito, logo depois da hora mais movimentada do café da manhã. Fiz algumas torradas e um café, servi-me de uns ovos mexidos que haviam sobrado e fui me acomodar no canto do café. Enquanto comia, não parava de pensar que eu poderia tornar a encontrar Tilo e Sonja lá em cima nas colinas. E, muito embora isso talvez significasse ter de escutar a verdade sobre o hotel da Bruxa Fraser, percebi que estava torcendo para o encontro acontecer. Além do mais, mesmo que a Bruxa Fraser fosse realmente detestável, eles nunca iriam imaginar que eu houvesse recomendado o hotel por má-fé. Havia inúmeras formas de eu me safar daquela situação.

Maggie e Geoff provavelmente estavam esperando que eu ajudasse de novo na hora mais movimentada do almoço, mas decidi que os dois precisavam de uma lição sobre não levar em conta as necessidades dos outros. Assim, depois do café, subi até meu quarto, peguei meu violão e saí pelos fundos.

Fazia muito calor outra vez, e o suor escorria pelas minhas bochechas enquanto eu subia a trilha que conduzia até meu banco. Embora houvesse pensando em Tilo e Sonja durante o café da manhã, a essa altura já os havia esquecido, portanto fiquei surpreso quando, ao subir o último declive, olhei na direção do banco e vi Sonja sentada ali sozinha. Ela me viu imediatamente e acenou.

Eu ainda estava um pouco cabreiro com ela e, sobretudo sem Tilo por perto, não estava com muita vontade de me sentar ao seu lado. Mas ela me lançou um grande sorriso e fez um movimento lateral como se estivesse abrindo espaço para mim, então não tive escolha.

Nós nos cumprimentamos e depois passamos algum tempo sentados lado a lado sem dizer nada. Isso no início não pareceu tão estranho, em parte porque eu ainda estava recuperando o fôlego, em parte por causa da vista. Havia mais névoa e nuvens do que na véspera, mas, se você se concentrasse, era possível ver as Black Mountains além das fronteiras do País de Gales. A brisa estava bem forte, porém não desagradável.

— Onde está Tilo? — acabei perguntando.

— Tilo? Ah... — Ela ergueu a mão para proteger os olhos. Então apontou. — Ali. Está vendo? Ali em cima. Aquele é Tilo.

Em algum lugar ao longe vi uma figura humana usando o que poderia ter sido uma camiseta verde e um chapéu branco, subindo a trilha em direção ao cume de Worcestershire Beacon.

— Tilo queria dar uma volta — disse ela.

— Você não quis ir?

— Não. Resolvi ficar aqui.

Embora ela não fosse de forma alguma a cliente irada do café, tampouco era exatamente a mesma pessoa que havia se mostrado tão calorosa e encorajadora comigo no dia anterior. Com certeza havia acontecido alguma coisa, e comecei a preparar minha defesa em relação à Bruxa Fraser.

— Sabe — falei —, eu trabalhei um pouco mais naquela canção. Posso tocar para você, se quiser.

Ela pensou um pouco, então disse:

— Talvez não neste minuto, se não se importar. Tilo e eu acabamos de ter uma conversa, sabe? Um desentendimento, por assim dizer.

— Ah, certo. Eu sinto muito.

— E agora ele saiu para dar uma volta.

Novamente, ficamos ali sentados sem dizer nada. Então eu suspirei e disse:

— Acho que talvez isso tudo seja culpa minha.

Ela se virou para me olhar.

— Culpa sua? Por que está dizendo isso?

— O motivo da sua discussão, o motivo pelo qual as suas férias agora estão prejudicadas. É tudo culpa minha. É aquele hotel, não é? Não era muito bom, certo?

— O hotel? — Ela parecia intrigada. — O hotel. Bem, ele tem alguns pontos fracos. Mas é um hotel, como tantos outros.

— Mas vocês perceberam, não foi? Perceberam todos os pontos fracos. Vocês com certeza perceberam.

Ela pareceu refletir a respeito, então assentiu.

— É verdade, eu percebi os pontos francos. Mas Tilo não. Tilo, é claro, achou o hotel esplêndido. Que sorte a nossa, ele não parava de dizer. Que sorte encontrar um hotel assim. Então, hoje de manhã, fomos tomar café. Para Tilo, o café estava ótimo, o melhor café que ele já tomou. Eu disse Tilo, não seja idiota. Este café não está bom. Este hotel não é bom. Ele disse não, nós temos muita sorte. Então fiquei zangada. Apontei à dona do hotel tudo que estava errado. Tilo me levou embora. Vamos dar uma volta, ele propôs. Você vai se sentir melhor. Então viemos para cá. E ele disse: Sonja, olhe só estas colinas, não são lindas? Não temos sorte de vir passar as férias em um lugar assim? Estas colinas, ele disse, são ainda mais maravilhosas do que eu havia imaginado quando escutamos Elgar. Você não concorda?, ele perguntou para mim. Talvez eu tenha ficado brava de novo. Falei que estas colinas não eram tão maravilhosas assim. Não eram como eu as imaginei ao escutar a música de Elgar. As colinas de Elgar são majestosas e misteriosas. Isto aqui mais parece um parque. Foi isso que eu falei, e quem ficou bravo foi ele. Disse que nesse caso iria passear sozinho. Disse que a nossa relação estava terminada, que agora nós dois já não concordamos em nada. Sim, disse ele, está tudo terminado entre mim e você, Sonja. E lá se foi ele! Aconteceu assim. É por isso que ele está lá em cima e eu aqui embaixo. — Ela tornou a proteger os olhos e ficou observando Tilo avançar.

— Eu sinto muito mesmo — falei. — Se ao menos não tivesse mandado vocês para aquele hotel, para começo de conversa...

— Por favor. O hotel não tem importância. — Ela se inclinou para a frente para poder ver Tilo melhor. Então virou-se para mim e sorriu, e eu pensei que talvez houvesse lágrimas em seus olhos. — Me diga uma coisa — pediu ela. — Você está planejando escrever mais canções hoje?

— É esse o plano. Ou pelo menos quero terminar a que estou escrevendo. Aquela que você escutou ontem.

— Era linda. E o que você vai fazer depois, quando terminar de escrever suas canções aqui? Tem algum plano?

— Vou voltar para Londres e montar uma banda. Essas canções precisam da banda certa, ou então não vão funcionar.

— Que emocionante. Desejo boa sorte a você.

Depois de alguns instantes, eu disse bem baixinho:

— Mas pode ser que eu desista de tudo. Não é tão fácil, sabe?

Ela não respondeu, e pensei que não tivesse me escutado, porque tornou a se virar para olhar na direção de Tilo.

— Sabe — disse ela depois de algum tempo —, quando eu

era mais jovem nada me irritava. Mas agora eu me irrito com muitas coisas. Não sei como fui ficar assim. Não é bom. Bem, não acho que Tilo vá voltar para cá. Vou para o hotel esperar por ele. — Ela se levantou, com o olhar ainda fixo na figura distante.

— Que pena — falei, levantando-me também — que vocês estejam se desentendendo durante as férias. E ontem, quando eu estava tocando para vocês, achei que pareciam tão felizes juntos...

— Sim, foi um bom momento. Obrigada por isso. — De repente, ela estendeu a mão para mim, sorrindo calorosamente. — Foi um grande prazer conhecer você.

Nós apertamos as mãos, daquele jeito um pouco mole que se faz com as mulheres. Ela começou a se afastar, então parou e olhou para mim.

— Se Tilo estivesse aqui — falou —, ele diria a você: nunca desanime. Ele diria: é claro que você deve ir para Londres e tentar montar a sua banda. É claro que vai ser um sucesso. É isso que Tilo diria a você. Porque é assim que ele é.

— E o que *você* diria?

— Eu gostaria de dizer a mesma coisa. Porque você é jovem e talentoso. Mas não tenho tanta certeza. De qualquer forma, a vida já vai trazer decepções suficientes. Se ainda por cima você tiver esse tipo de sonho... — Ela tornou a sorrir e deu de ombros. — Mas eu não deveria dizer essas coisas. Não sou um bom exemplo para você. Além do mais, posso ver que você é muito mais parecido com Tilo. Se as decepções acontecerem, mesmo assim você vai seguir em frente. Vai dizer, como ele diz, que sorte a minha. — Ela continuou olhando fixamente para mim durante alguns segundos, como se estivesse decorando minha aparência. A brisa soprava seus cabelos, fazendo-a parecer mais velha que de costume. — Desejo muita sorte a você — disse ela por fim.

— Boa sorte para você também — falei. — E espero que vocês façam as pazes.

Ela acenou pela última vez, depois desceu a trilha e saiu do meu campo de visão.

Tirei o violão do estojo e voltei a me sentar no banco. Porém, demorei um pouco para tocar alguma coisa, porque estava olhando para longe, em direção a Worcestershire Beacon e à pequenina figura de Tilo na encosta. Talvez fosse por causa do jeito como o sol batia naquela parte da colina, mas agora eu podia vê-lo de forma bem mais nítida do que antes, apesar de ele ter se afastado mais. Ele havia parado na trilha por um instante e parecia estar olhando para as colinas em volta, como se estivesse querendo reavaliá-las. Então sua figura começou a se mover novamente.

Passei alguns minutos trabalhando na minha canção, mas não consegui me concentrar, principalmente porque estava pensando na cara que a Bruxa Fraser devia ter feito quando Sonja a atacara naquela manhã. Então olhei para as nuvens e para a paisagem que se estendia à minha frente, e me obriguei a pensar novamente na minha canção e na transição que ainda não havia conseguido acertar.

Noturno

Até dois dias atrás, Lindy Gardner era minha vizinha de porta. Muito bem, estão pensando vocês, se Lindy Gardner era minha vizinha, isso talvez signifique que eu moro em Beverly Hills; um produtor de cinema, talvez, ou então um ator ou músico. Bem, músico de fato eu sou. Porém, embora tenha tocado com um ou dois artistas dos quais vocês provavelmente já ouviram falar, não sou o que se poderia chamar de alguém do primeiro time. Meu empresário, Bradley Stevenson, que à sua maneira tem sido um bom amigo ao longo dos anos, afirma que eu tenho potencial para ser do primeiro time. Não apenas um instrumentista de primeiro time, mas uma atração principal de primeiro time. Segundo ele, não é verdade que saxofonistas não se tornam mais atrações principais, e ele repete sua lista de nomes. Marcus Lightfoot. Silvio Tarrentini. São todos músicos de jazz, observo eu. "E o que você é senão um músico de jazz?", retruca ele. Mas é só nos meus sonhos mais íntimos que eu ainda sou um músico de jazz. No mundo real — quando não estou com o rosto inteiro envolto em ataduras como agora —, eu não passo de um sax tenor que toca em várias bandas, razoavelmente requisitado para trabalhos de estúdio, ou então quando alguma banda perdeu seu saxofonista regular. Se o público quer música pop, é música pop que eu toco. Rhythm & blues? Tudo bem. Comerciais de carro, a música-tema de um talk show, podem deixar comigo. Hoje em dia eu só sou um músico de jazz quando estou dentro do meu cubículo.

Eu preferiria tocar na sala de casa, mas o nosso apartamento tem uma construção tão vagabunda que os vizinhos iriam começar a reclamar até o final do corredor. Então o que fiz foi transformar nosso menor quarto em uma sala de ensaio. Na verdade, o cômodo não passa de um armário — lá dentro só cabe uma cadeira de escritório e pronto —, mas eu fiz um isolamento acústico com espuma, caixas de ovos e velhos envelopes acolchoados que o meu empresário Bradley me mandou de seu escritório. Quando morava comigo, Helen, minha mulher, me via entrar lá dentro com meu sax e ria, dizendo que parecia que eu estava indo ao banheiro, e algumas vezes era assim que eu me sentia. Ou seja, era como se eu estivesse sentado naquele cubículo escuro e abafado cuidando de um assunto pessoal que nenhuma outra pessoa jamais iria querer compartilhar comigo.

A esta altura vocês já adivinharam que Lindy Gardner jamais morou ao lado desse apartamento do qual estou falando. Ela tampouco era um dos vizinhos que vinham bater na porta sempre que eu tocava fora do cubículo. Quando eu disse que ela era minha vizinha, estava querendo dizer outra coisa, e agora vou explicar do que se trata.

Até dois dias atrás, Lindy estava hospedada no quarto ao lado do meu aqui neste hotel metido a besta e, assim como eu, tinha o rosto envolto em ataduras. Lindy, é claro, tem uma casa grande e confortável aqui perto, e tem empregados, então o dr. Boris lhe deu alta. Na verdade, do ponto de vista estritamente médico, ela talvez pudesse ter ido para casa bem antes, mas claramente havia outros fatores em jogo. Para começar, se estivesse em casa, não seria fácil para ela se esconder das câmeras e dos colunistas de fofoca. Além do mais, tenho o palpite de que a reputação de medalhão do dr. Boris tem por base procedimentos que não são cem por cento legais, e é por isso que ele esconde os pacientes aqui neste andar discreto do hotel, isolados de todos os funcionários e hóspedes regulares, com instruções para só sair do quarto em caso de extrema necessidade. Se fosse possível espiar através de todas as cortinas de crepe, daria para ver mais estrelas aqui em uma semana do que em um mês no Chateau Marmont.

Sendo assim, como é que alguém como eu veio parar aqui, no meio dessas estrelas e milionários, para ter o rosto operado pelo melhor cirurgião da cidade? Acho que tudo começou com meu empresário, Bradley, ele próprio não tão de primeiro time assim, e tão parecido com George Clooney quanto eu. A primeira vez que ele se referiu ao fato foi alguns anos atrás, de forma meio brincalhona, e depois pareceu ir ficando mais e mais sério cada vez que o mencionava. O que ele dizia, resumidamente, era que eu era feio. E que isso é que me impedia de ser do primeiro time.

— Veja Marcus Lightfoot — disse ele. — Veja Kris Bugoski. Ou Tarrentini. Algum deles tem um som tão especial como o seu? Não. Eles têm a sua delicadeza? A sua visão? Têm sequer metade da sua técnica? Não. Mas eles têm a aparência necessária, então as portas se abrem para eles.

— E Billy Fogel? — perguntei. — Ele é feio como a peste e está se dando bem.

— Billy é feio mesmo. Mas ele é sexy, é feio como um menino mau. Você, Steve, você é... Bem, você é feio de um jeito sem graça, fracassado. O tipo errado de feio. Escute, você algum dia já pensou em fazer alguma coisa? Alguma coisa cirúrgica, quero dizer?

Fui para casa e repeti a conversa para Helen, porque pensei que ela fosse achá-la tão engraçada quanto eu. E no início, de fato, nós dois rimos muito à custa de Bradley. Em seguida Helen se aproximou, me abraçou e me disse que, pelo menos para ela, eu era o cara mais bonito do universo. Ela então meio que deu um passo para trás e se calou, e quando perguntei qual era o problema ela respondeu nenhum. Então disse que talvez, só talvez, Bradley tivesse uma certa razão. Talvez eu devesse *mesmo* pensar na hipótese de fazer alguma coisa.

— Não precisa me olhar assim! — gritou ela de volta. — Todo mundo está fazendo isso. E você, você tem um motivo *profissional*. Se um cara quer ser um motorista chique, ele vai e compra um carro chique. Com você é a mesma coisa!

Nesse estágio, porém, eu não pensei mais no assunto, apesar de estar começando a aceitar a ideia de ser "feio como um fracassado". Para começo de conversa, eu não tinha dinheiro. Na verdade, na mesma hora em que Helen estava falando em motoristas chiques, ela e eu estávamos devendo nove mil e quinhentos dólares. Era típico de Helen. Sob muitos aspectos, ela era ótima pessoa, mas essa capacidade de esquecer completamente o verdadeiro estado das nossas finanças e começar a inventar novas e importantes oportunidades para gastar dinheiro, isso era a cara de Helen.

Tirando a questão do dinheiro, eu não gostava da ideia de alguém me cortar. Não sou muito bom nesse tipo de coisa. Certa vez, no início do meu relacionamento com Helen, ela me convidou para ir correr. Era inverno e fazia frio nessa manhã, e eu nunca fui um grande corredor, mas estava apaixonado por ela e queria impressioná-la. Então lá estávamos nós, correndo pelo parque, e eu estava conseguindo acompanhá-la bastante bem quando de repente meu sapato bateu em algo muito duro que saía do chão. Senti uma dor no pé que não era muito forte, mas, quando tirei o tênis e a meia e vi a unha do meu dedão se erguendo da pele como se estivesse batendo uma continência para Hitler, me senti enjoado e desmaiei. É assim que eu sou. Então vocês podem entender que eu não estivesse muito entusiasmado para fazer uma cirurgia no rosto.

Além disso, naturalmente, havia o princípio da coisa. Tudo bem, eu já disse isso antes, não sou um grande defensor da integridade artística. Contanto que me paguem, toco qualquer tipo de música. Mas essa proposta era de outro tipo, e ainda me restava um pouco de orgulho. Pelo menos em relação a uma coisa Bradley tinha razão: eu era duas vezes mais talentoso do que a maioria das outras pessoas desta cidade. Mas isso não parecia ter muita importância ultimamente. Porque o mais importante é a imagem, o potencial de venda, o fato de aparecer nas revistas e programas de TV, as festas e as pessoas com quem você almoça. Tudo isso me dava náuseas. Eu era músico, por que deveria jogar esse jogo? Por que não podia simplesmente tocar minha música da melhor forma que eu conseguisse e continuar progredindo, nem que fosse apenas dentro do meu cubículo, e um dia talvez, quem sabe, os verdadeiros amantes da música iriam me escutar e apreciar o que eu estava fazendo? Por que me meter com um cirurgião plástico?

No início, Helen pareceu concordar comigo, e por algum tempo o assunto não voltou a surgir. Isso até ela telefonar de Seattle e me dizer que estava me deixando para ir morar com Chris Prendergast, um cara que ela conhecia desde o ensino médio e que era dono de uma rede de bem-sucedidos restaurantes espalhados pelo estado de Washington. Eu já havia encontrado esse tal Prendergast algumas vezes ao longo da vida — ele chegara até a ir jantar na nossa casa uma vez —, mas nunca desconfiei de nada.

— Foi aquele isolamento acústico todo no seu armário —

comentou Bradley na ocasião. — Funciona nos dois sentidos.
— Suponho que ele tenha uma certa razão.

Mas não quero ficar falando em Helen e Prendergast, a não ser para explicar seu papel em me fazer chegar aonde estou agora. Talvez vocês estejam pensando que eu subi o litoral para confrontar o casal feliz e que a cirurgia plástica se tornou uma necessidade depois de uma altercação de homem para homem com meu rival. Seria romântico, mas não, não foi assim que aconteceu.

O que aconteceu foi que, algumas semanas depois de seu telefonema, Helen voltou ao apartamento para organizar a mudança de suas coisas. Parecia triste ao percorrer a casa — casa onde, afinal de contas, nós havíamos passado alguns momentos felizes. Eu não parava de pensar que ela fosse começar a chorar, mas ela não chorou, e simplesmente começou a arrumar todas as suas coisas em pilhas perfeitas. Alguém iria buscá-las dali a um ou dois dias, disse. Então, quando eu estava a caminho do meu cubículo, com meu sax tenor na mão, ela ergueu os olhos e disse baixinho:

— Steve, por favor. Não entre de novo nesse lugar. Nós precisamos conversar.

— Conversar sobre o quê?

— Steve, pelo amor de Deus.

Então pus o saxofone de novo dentro do estojo e fomos os dois para nossa pequena cozinha, onde nos sentamos à mesa um de frente para o outro. Foi então que ela me disse.

Sua decisão era definitiva. Ela estava feliz com Prendergast, por quem tinha uma quedinha desde o ensino médio. Mas estava triste por me deixar, sobretudo em uma fase na qual minha carreira não estava indo muito bem. Então havia pensado bem e conversado com seu novo parceiro, e ele também tinha ficado triste por mim. Aparentemente, dissera o seguinte:

— Mas que coisa chata Steve ter que pagar o preço de toda

a nossa felicidade. — Então a proposta era a seguinte. Prendergast se dispunha a me pagar uma plástica facial com o melhor cirurgião da cidade.
— É verdade — disse ela quando a olhei sem expressão. — Ele está falando sério. Não vai poupar gastos. Ele assume todas as despesas do hospital, da recuperação, tudo. Com o melhor cirurgião da cidade. — Depois que o meu rosto estivesse consertado, nada mais poderia me segurar, disse ela. Eu iria subir direto até o topo; como poderia ser diferente com o talento que eu tinha?
— Steve, por que você está me olhando assim? É uma ótima proposta. E sabe-se lá se daqui a seis meses ele ainda vai estar disposto. Diga sim agora e vai estar fazendo um grande favor a si mesmo. São só algumas semanas de desconforto, e tchun! Júpiter e mais além!

Quinze minutos depois, quando estava de saída, ela disse em um tom bem mais severo:
— Então o que é que você está dizendo? Que está feliz em tocar dentro daquele armariozinho o resto da vida? Que simplesmente adora ser tão fracassado assim? — E depois de dizer isso ela foi embora.

No dia seguinte, passei no escritório de Bradley para ver se ele tinha algum trabalho para mim, e por acaso mencionei o que havia acontecido, esperando que fôssemos rir do fato. Mas ele não riu nem um pouco.
— O cara é rico? E está disposto a arrumar um cirurgião de primeira para você? Quem sabe ele não consegue o doutor Crespo? Ou mesmo o doutor Boris?

Então Bradley também começou a me azucrinar dizendo que eu precisava aproveitar essa oportunidade, que se não o fizesse seria um fracassado pelo resto da vida. Saí do escritório dele bem zangado, mas ele me telefonou depois, nessa mesma tarde, para insistir. Se era o telefonema em si que estava me fazendo hesitar, disse ele, se era a afronta ao meu orgulho contida no fato de pegar o telefone e dizer a Helen sim, por favor, eu quero me operar, se era isso que estava me detendo, então ele, Bradley, ficaria feliz em conduzir a negociação toda no meu lugar. Eu falei pra ele ir se ferrar e desliguei. Mas uma hora depois ele ligou de novo. Disse-me que agora já havia entendido tudo e que eu era um bobo por não ter entendido também.

— Helen planejou tudo isso com cuidado. Pense na posição dela. Ela ama você. Mas, do ponto de vista da aparência, bem, você é um constrangimento quando visto em público. Não excita ninguém. Ela quer que você tome uma providência sobre isso, mas você se recusa. Então o que ela faz? Bem, seu lance seguinte é magnífico. Cheio de sutileza. Como empresário, só posso admirá-la. Ela vai embora com esse tal cara. Tudo bem, talvez ela sempre tenha sentido tesão por ele, mas na verdade ela não o ama, não o ama nem um pouco. Ela faz o cara pagar pelo seu rosto. Quando você fica bom, ela volta, você está todo bonito, e ela louca pelo seu corpo, mal pode esperar para ser vista com você nos restaurantes...

Interrompi-o nesse ponto para assinalar que, embora ao longo dos anos eu já tivesse me acostumado com quanto ele era capaz de se rebaixar quando desejava me persuadir a fazer alguma coisa que fosse profissionalmente vantajosa para ele, aquela sua mais recente demonstração era tão baixa e vil que ficava em um lugar aonde a luz nem sequer chegava, e onde uma bosta de cavalo fumegante iria congelar em poucos segundos. E, por falar em bosta de cavalo, eu lhe disse que embora compreendesse que ele, por natureza, não conseguisse evitar se chafurdar nela o tempo todo, mesmo assim seria uma boa estratégia de sua parte inventar histórias que tivessem pelo menos a chance de me enganar por um ou dois minutos. Então voltei a desligar na sua cara.

Ao longo das semanas seguintes, tive menos trabalhos do que nunca, e sempre que ligava para Bradley a fim de saber se ele tinha alguma coisa ele dizia algo do tipo:

— É difícil ajudar um cara que não quer ajudar a si mesmo.

— No final das contas, comecei a pensar na questão de maneira mais pragmática. Não podia desconsiderar o fato de que eu precisava comer. E se fazer aquilo significava que, dali a algum tempo, muito mais pessoas iriam ouvir minha música, será que isso era um resultado tão ruim assim? E quanto aos meus planos de um dia liderar minha própria banda? Como isso poderia acontecer?

Por fim, cerca de seis semanas depois de Helen ter me feito a proposta, eu comentei casualmente com Bradley que estava repensando no assunto. Foi o que bastou. Na mesma hora ele começou a dar telefonemas e a tomar providências, gritando muito e ficando todo animado. Verdade seja dita: ele honrou a sua palavra; intermediou tudo para que eu não precisasse ter uma só conversa humilhante com Helen, muito menos com Prendergast. Em determinados momentos, Bradley conseguiu até criar a ilusão de que estava negociando um acordo para mim, de que eu é que possuía algo para vender. Mesmo assim, diariamente eu tinha vários momentos de dúvida. Quando isso acontecia, era repentino. Bradley ligou para dizer que o dr. Boris tivera um cancelamento de última hora, e que eu precisava estar em determinado endereço às três e meia daquela mesma tarde com toda a minha bagagem. Talvez eu tenha tido uma hesitação final nessa hora, porque me lembro de Bradley gritando comigo ao telefone e mandando eu me controlar, dizendo que ele próprio estava indo me buscar, e depois disso me vi sendo conduzido por estradas sinuosas até uma grande casa nas colinas de Hollywood e sendo anestesiado, igualzinho a um personagem de uma história de Raymond Chandler.

Depois de alguns dias fui trazido para cá, para este hotel em Beverly Hills, pela entrada dos fundos e sob o manto da noite, e empurrado sobre uma cadeira de rodas por este corredor tão exclusivo, que aqui estamos completamente isolados de todo o movimento normal do hotel.

Durante a primeira semana, meu rosto doía e o anestésico no meu corpo me deixava enjoado. Eu tinha que dormir recostado em travesseiros, o que significava que não dormia muito e, como minha enfermeira insistia em deixar o quarto às escuras o tempo inteiro, perdi a noção das horas. Mesmo assim, eu não me sentia mal. Na verdade, estava entusiasmado e otimista. Tinha total confiança no dr. Boris, que, afinal de contas, era um sujeito nas mãos do qual estrelas de cinema depositavam toda a sua carreira. Além do mais, eu sabia que comigo ele havia concluído a sua obra-prima; sabia que, ao ver meu rosto de fracassado, as suas mais profundas ambições haviam sido despertadas, e ele se lembrara, para começo de conversa, de por que havia escolhido aquela carreira, e dedicara à minha operação toda a energia que tinha e mais um pouco. Quando as ataduras fossem removidas, eu podia esperar ver um rosto bem marcado, ligeiramente bruto, mas cheio de nuances. Afinal de contas, um sujeito com a sua reputação teria considerado com bastante cuidado as necessidades de um músico de jazz sério, sem confundi-las, digamos, com as de um âncora de tv. Talvez até tivesse acrescentado alguma coisa que me desse aquele ar levemente atormentado, mais ou menos como De Niro quando jovem ou Chet Baker antes de ser destruído pelas drogas. Pensei nos discos que iria gravar, nas bandas que iria contratar para tocar comigo. Estava me sentindo triunfante, e não podia acreditar que um dia havia hesitado em tomar aquela decisão.

Então veio a segunda semana, quando o efeito dos remédios passou e eu comecei a me sentir deprimido, sozinho e ordinário. Minha enfermeira, Gracie, já deixava entrar um pouco mais de luz no quarto — embora mantivesse as persianas abaixadas pelo menos até a metade —, e eu podia andar pelo quarto de camisola. Então ficava pondo um CD atrás do outro no aparelho de som Bang & Olufsen e dando voltas e mais voltas pelo carpete, parando de vez em quando em frente ao espelho da penteadeira para inspecionar pelas frestas dos olhos aquele estranho monstro coberto de ataduras.

Foi durante essa fase que Gracie me disse pela primeira vez que Lindy Gardner estava hospedada no quarto ao lado. Caso ela houvesse me dado essa notícia na minha primeira fase de euforia, eu a teria recebido com deleite. Talvez até a tivesse interpretado como o primeiro sinal da vida de glamour à qual eu agora estava destinado. No entanto, chegando na hora em que chegou, exatamente quando eu começava a ficar desanimado, a notícia me causou tamanha repulsa que provocou outro acesso de náusea. Se vocês estiverem entre os muitos admiradores de Lindy, peço desculpas pelo que vou dizer. Mas o fato é que naquele momento, se existia alguém que personificava tudo que havia de mais raso e nauseante no mundo, para mim essa pessoa era Lindy Gardner: alguém com um talento desprezível — tudo bem, vamos encarar os fatos, ela já *provou* que não sabe atuar e nem sequer finge ter alguma habilidade musical —, mas que ao mesmo tempo conseguiu se tornar famosa, disputada pelas redes de televisão e revistas de páginas lustrosas que não se fartam dos traços risonhos dela. No começo deste ano, passei por uma livraria e vi uma fila sinuosa, e me perguntei se alguém como Stephen King estaria lá dentro, mas depois descobri que era Lindy assinando exemplares de sua última autobiografia escrita por um ghost writer. E como ela conseguiu isso tudo? Da forma habitual, claro. Os casos de amor certos, os casamentos certos, os divórcios certos. Tudo conduzindo às capas de revista certas, aos talk shows certos, e depois a coisas como aquele seu recente programa de TV, de cujo nome não me lembro, em que ela dava conselhos sobre como se vestir para aquele primeiro grande encontro depois que você se divorcia, ou sobre o que fazer quando desconfia que o marido é gay, essas coisas. As pessoas comentam sobre a "fibra de estrela" que ela tem, mas é um fascínio bem fácil de analisar. Trata-se da simples acumulação de aparições na TV e em capas lustrosas de revista, de todas as fotos que já se viu dela frequentando estreias e festas, de braços dados com lendas vivas. E agora ali estava ela, bem no quarto ao lado, recuperando-se como eu de uma cirurgia facial realizada pelo dr. Boris. Nenhuma outra notícia poderia ter simbolizado de maneira mais perfeita a escala da minha derrocada moral. Na semana anterior, eu era um músico de jazz. Agora, não passava de mais um lamentável gigolô se submetendo a uma plástica facial numa tentativa de rastejar atrás das Lindy Gardners deste mundo rumo a uma celebridade vazia.

Nos dias seguintes, tentei ler para fazer o tempo passar, mas não conseguia me concentrar. Debaixo das ataduras, partes do meu rosto latejavam horrivelmente, outras coçavam de maneira infernal e eu sentia ondas de calor e claustrofobia. Ansiava por tocar meu saxofone, e a ideia de que ainda levaria semanas para poder infligir esse tipo de esforço a meus músculos faciais me deixava mais desanimado. No final das contas, descobri que a melhor maneira de fazer o dia passar era alternar os CDs com períodos de leitura de notações musicais — eu tinha levado a pasta de partituras e cifras com as quais costumava trabalhar no meu cubículo — e cantarolando algumas improvisações.

Foi lá pelo final da segunda semana, quando eu começava a me sentir um pouco melhor física e mentalmente, que minha enfermeira me entregou um envelope com um sorriso cúmplice, dizendo:

— Não é todo dia que se recebe uma coisa assim. — Dentro do envelope havia uma folha do papel timbrado do hotel e, como estou com ele bem aqui ao meu lado, vou reproduzir o texto exatamente como o recebi:

> Gracie me disse que você está ficando cansado desta vida glamorosa. Eu também me sinto assim. Que tal vir me fazer uma visita? Isso se às cinco da tarde de hoje não for cedo demais para tomar um drinque. O dr. B. disse que eu não posso beber, imagino que para você seja a mesma coisa. Então parece que vai ser só água tônica e Perrier. Maldito médico! Vejo você às cinco ou então vou ficar com o coração partido. Lindy Gardner.

Talvez tenha sido por eu já estar muito entediado àquela altura; ou pelo simples fato de o meu humor estar melhorando outra vez; ou porque a ideia de ter uma outra prisioneira com quem trocar histórias era extremamente atraente. Ou talvez eu próprio não fosse tão imune assim ao poder do glamour. Em todo caso, apesar de tudo o que sentia por Lindy Gardner, experimentei um formigamento de animação e me peguei dizendo a Gracie para avisar Lindy que eu iria aparecer no seu quarto às cinco.

Lindy Gardner estava envolta em uma quantidade de ataduras ainda maior do que a minha. Pelo menos no meu caso haviam deixado uma abertura na parte de cima, pela qual meus cabelos brotavam como plantas em um oásis no deserto. Mas Boris havia enfaixado a cabeça inteira de Lindy, de modo a deixá-la com o formato liso de um coco, apenas com fendas para os olhos, nariz e boca. O que havia acontecido com todo aquele exuberante cabelo louro, eu não sabia. Sua voz, porém, não estava tão presa quanto se poderia imaginar, e eu a reconheci das vezes em que a vira na tv.

— Então, o que está achando disto tudo? — perguntou ela.

Quando respondi que não estava achando tão mau assim, ela continuou. — Steve. Posso chamar você de Steve? Gracie me contou tudo sobre você.

— Ah, é? Espero que tenha deixado de fora a parte ruim.

— Bom, eu sei que você é músico. E um músico muito promissor.

— Ela disse isso?

— Steve, você está tenso. Quero que relaxe quando estiver comigo. Eu sei que algumas pessoas famosas *gostam* que o público fique tenso em sua companhia. Isso faz com que elas se sintam ainda mais especiais. Mas eu odeio. Quero que me trate exatamente como se eu fosse uma das suas amigas normais. O que você estava me dizendo? Estava dizendo que não acha isto aqui tão ruim.

O quarto dela era consideravelmente maior do que o meu, e aquela era apenas a sala de estar da suíte. Estávamos sentados um de frente para o outro em sofás brancos iguais, e entre nós dois havia uma mesa de centro baixa com tampo de vidro fosco, através da qual eu podia ver a tora de madeira que lhe servia de base. A superfície estava coberta por revistas de capas brilhantes e por uma cesta de frutas ainda envolta em celofane. Assim como eu, ela estava com o ar-condicionado ligado no máximo — as ataduras dão calor — e com as persianas abaixadas para não deixar entrar o sol da tarde. Uma camareira havia acabado de me trazer um copo d'água e um café, ambos com canudos — que é a forma como tudo aqui tem de ser servido —, e em seguida se retirado.

Em resposta à pergunta dela, eu disse que a pior parte, para mim, era não poder tocar o meu sax.

— Mas você entende por que Boris não deixa — disse ela.

— Imagine só. Se você soprar aquele sax um dia antes de estar pronto para isso, pedaços da sua cara vão sair voando pela sala toda!

Ela pareceu achar isso bem engraçado, gesticulando com a mão para mim como se eu é que tivesse feito a piada e ela estivesse dizendo: "Chega, chega, você é demais!". Ri junto com ela e tomei um pouco de café pelo canudo. Então ela começou a falar sobre vários amigos que haviam feito plástica recentemente, sobre o que tinham dito, sobre coisas engraçadas que haviam acontecido com eles. Todas as pessoas que ela mencionou eram celebridades ou então casadas com celebridades.

— Quer dizer que você toca sax — disse ela, mudando de assunto de repente. — Fez uma boa escolha. É um instrumento maravilhoso. Sabe o que eu digo a todos esses jovens saxofonistas? Digo a eles para escutarem os antigos. Eu conheci um saxofonista, promissor como você, que só escutava aqueles caras pouco convencionais. Wayne Shorter, gente assim. Eu disse a ele: você vai aprender mais com os caras da geração antiga. Eles podem até não ter inventado a roda, eu disse a ele, mas esses caras sabiam fazer as coisas. Steve, você se importa se eu puser uma música? Para mostrar exatamente do que estou falando?

— Não, não me importo. Mas senhora Gardner...

— Por favor. Me chame de Lindy. Aqui somos iguais.

— Tudo bem. Lindy. Eu só queria dizer que não sou tão jovem assim. Na verdade, vou fazer trinta e nove.

— Ah, é mesmo? Bom, isso ainda é jovem. Mas tem razão, eu pensei que você fosse bem mais jovem. Com estas máscaras exclusivas que Boris nos deu é difícil dizer, não é? Pelo que Gracie me contou, eu pensei que você fosse um desses rapazes em início de carreira, e que talvez seus pais tivessem pago essa operação para você ter um bom começo. Desculpe, foi engano meu.

— Gracie disse que eu estava "em início de carreira"?
— Não seja duro com ela. Ela disse que você era músico, então eu perguntei o seu nome. E, quando falei que não conhecia, ela disse: "É porque ele está no início da carreira". Só isso. Ei, mas olhe aqui, que diferença faz agora a sua idade? Mesmo assim pode aprender com o pessoal da geração antiga. Quero que escute isto aqui. Acho que vai achar interessante.

Ela foi até um armário e instantes depois ergueu um CD.

— Você vai gostar deste aqui. A parte do sax é simplesmente perfeita.

O quarto dela tinha um aparelho de som Bang & Olufsen igualzinho ao meu, e logo o recinto se encheu com um luxuriante som de cordas. Alguns compassos depois, um tenor sonolento, à la Ben Webster, entrou e passou a conduzir a orquestra. Se você não fosse um grande conhecedor desse tipo de coisa, poderia até tê-lo confundido com uma daquelas introduções de Nelson Riddle para alguma canção de Sinatra. Mas a voz que acabou surgindo foi a de Tony Gardner. A canção — eu tinha uma vaga lembrança — era alguma coisa chamada "Back at Culver City", uma balada que nunca chegou a fazer muito sucesso e que quase ninguém mais toca. Durante todo o tempo em que Tony Gardner cantou, o sax o acompanhou, respondendo-lhe verso por verso. A música toda era totalmente previsível e açucarada até dizer chega.

Depois de algum tempo, no entanto, eu havia parado de prestar atenção na música porque Lindy, ali na minha frente, havia adentrado em uma espécie de enleio, dançando devagar ao som da música. Seus movimentos eram fáceis e graciosos — era óbvio que a plástica não havia afetado seu corpo — e sua silhueta curvilínea e esbelta. Ela vestia uma roupa que era meio camisola, meio vestido de festa; ou seja, era ao mesmo tempo vagamente hospitalar e ainda assim glamorosa. Além do mais, eu estava tentando entender uma coisa. Tinha a nítida impressão de que Lindy havia se separado recentemente de Tony Gardner, mas, como sou a pior pessoa do país em se tratando de fofocas de showbiz, comecei a pensar que talvez houvesse entendido errado. Senão, por que ela estaria dançando daquele jeito, perdida naquela música, obviamente achando aquilo agradável?

Tony Gardner parou de cantar por alguns instantes, as cordas aumentaram de volume para entrar na transição, e o pianista iniciou um solo. Nesse ponto, Lindy pareceu voltar ao planeta Terra. Parou de se balançar, desligou a música com o controle remoto, depois veio se sentar ao meu lado.

— Não é maravilhoso? Entende o que quero dizer?

— Entendo, foi lindo — respondi, sem saber ao certo se ainda estávamos falando apenas sobre o sax.

— A propósito, seus ouvidos não estavam enganando você.

— Como assim?

— O cantor. Era mesmo quem você pensou que fosse. Só porque ele não é mais meu marido, não significa que eu não posso escutar seus discos, certo?

— Não, claro que não.

— E o sax nessa música é lindo. Agora está vendo por que eu queria que você escutasse.

— É, foi lindo.

— Steve, você tem alguma gravação sua? Quero dizer, da sua própria música?

— Claro. Na verdade, tenho alguns CDs no meu quarto.

— Da próxima vez que você vier aqui, querido, quero que traga os CDs. Quero ouvir como é a sua música. Você faz isso?

— Está bem, se você não for achar chato.

— Ah, não, eu não vou achar chato. Mas espero que você não me ache intrometida. Tony sempre dizia que eu era intrometida, que simplesmente deveria deixar as pessoas em paz, mas, sabe, acho que ele estava mais é sendo esnobe. Várias pessoas famosas acham que só devem se interessar por outras pessoas famosas. Eu nunca pensei assim. Vejo todo mundo como um amigo em potencial. Gracie, por exemplo. Ela é minha amiga. Todos os empregados lá de casa também são meus amigos. Você deveria me ver nas festas. Enquanto todos os outros ficam conversando sobre o último filme que fizeram ou coisa parecida, eu sou aquela que conversa com a moça do bufê ou do bar. Não acho que isso seja intromissão, você acha?

— Não, eu não acho que seja intromissão de forma alguma. Mas olhe aqui, senhora Gardner...

— Lindy, por favor.

— Lindy. Olhe aqui, foi incrível estar com você. Mas esses remédios me deixam mesmo cansado. Acho que vou precisar me deitar um pouco.

— Ah, você não está se sentindo bem?

— Não é nada. São só os remédios.

— Que pena! Você precisa voltar quando estiver se sentindo melhor. E traga as gravações, aquelas em que você está tocando. Combinado?

Tive de lhe garantir mais um pouco que eu havia me divertido e que iria voltar. Então, quando estava cruzando a porta, ela disse:

— Steve, você joga xadrez? Eu sou a pior enxadrista do mundo, mas tenho um tabuleiro fofo. Meg Ryan trouxe para mim na semana passada.

De volta ao meu quarto, peguei uma Coca no minibar, sentei diante da escrivaninha e olhei pela janela. O poente estava grande e rosado e nós estávamos bem no alto, eu podia ver os carros percorrendo a autoestrada ao longe. Depois de alguns minutos, liguei para Bradley, e, embora sua secretária tenha me deixado na linha um tempão, ele acabou atendendo.

— Como vai a cara? — perguntou ele, preocupado, como se estivesse pedindo notícias de um bicho de estimação que houvesse deixado aos meus cuidados.

— Como é que eu vou saber? Ainda estou igual ao Homem Invisível.

— Você está bem? Sua voz está... desanimada.

— Eu *estou* desanimado. Essa história toda foi um erro. Agora entendo isso. Não vai funcionar.

Houve alguns instantes de silêncio, então ele perguntou:

— A cirurgia foi um fracasso?

— Tenho certeza de que a cirurgia correu bem. Estou falando do resto, de para onde isso vai me levar. Esse *plano*... Ele nunca vai funcionar do jeito que você disse. Eu nunca deveria ter deixado você me convencer.

— Qual é o problema? Você parece deprimido. O que eles estão dando para você?

— Eu estou bem. Na verdade, faz muito tempo que minha mente não está tão clara. É esse o problema. Agora eu entendo. O seu plano... eu nunca deveria ter escutado você.

— Que história é essa? Que plano? Olhe aqui, Steve, não é nada complicado. Você é um artista muito talentoso. Depois que isso tudo acabar, só vai ter que fazer o que sempre fez. Você agora está simplesmente removendo um obstáculo, só isso. Não existe nenhum *plano*...

— Olhe aqui, Bradley, este lugar é horrível. Não é só o desconforto físico. Agora percebo o que estou fazendo comigo mesmo. Foi um erro, eu deveria ter tido mais respeito por mim.

— Steve, o que foi que provocou isso? Aconteceu alguma coisa por aí?

— Com certeza aconteceu alguma coisa, droga. É por isso

que estou ligando. Preciso que você me tire daqui. Preciso que me mande para outro hotel.

— Outro hotel? Quem você é, por acaso? O príncipe da coroa Abdullah? Qual o problema com esse hotel, porra?

— O problema é que Lindy Gardner é minha vizinha de porta. E ela acabou de me convidar para ir ao seu quarto, e vai continuar me convidando. É esse o problema!

— Lindy Gardner é sua vizinha?

— Olhe aqui, não posso passar por isso de novo. Acabei de ir até lá, fiquei o mínimo de tempo que consegui. E agora ela está dizendo que eu tenho de ir jogar xadrez no tabuleiro que a Meg Ryan deu de presente a ela...

— Steve, você está me dizendo que Lindy Gardner é sua vizinha de porta? Você esteve com ela?

— Ela pôs o disco do marido para tocar! Porra, acho que está escutando outro agora. É esse o ponto a que cheguei. É esse o meu nível agora.

— Steve, espere aí, vamos começar de novo. Steve, porra, cale a boca, depois me explique. Explique para mim como você foi parar com a Lindy Gardner.

A essa altura eu me acalmei um pouco e fiz um breve relato de como Lindy havia me convidado para ir até seu quarto e de como as coisas tinham se desenrolado.

— Então você não foi grosso com ela? — perguntou assim que terminei.

— Não, eu não fui grosso com ela. Eu me segurei. Mas não vou voltar lá. Preciso trocar de hotel.

— Steve, você não vai trocar de hotel. Lindy Gardner? Ela está toda enfaixada, você está todo enfaixado. Ela está no quarto ao lado. Steve, essa é uma oportunidade de ouro.

— Não é nada disso, Bradley. Isto aqui é um círculo interno do inferno. Tabuleiro de xadrez da Meg Ryan? Pelo amor de Deus!

— Tabuleiro de xadrez da Meg Ryan? Como é isso? Todas as peças têm a cara da Meg?

— E ela quer ouvir minha música! Está insistindo para eu levar CDs!

— Ela quer... Meu Deus, Steve, você ainda nem tirou as ataduras e já está tudo indo a seu favor. Ela quer ouvir você tocar?

— Eu estou pedindo para você resolver a situação, Bradley. Tudo bem, eu estou nisso até o pescoço, fiz a cirurgia, você me convenceu, porque eu fui suficientemente idiota para acreditar no que você disse. Mas não sou obrigado a aguentar isso. Não sou obrigado a passar as próximas duas semanas com Lindy Gardner. Estou pedindo para você me tirar daqui agora!

— Eu não vou tirar você de lugar nenhum. Você tem noção de como Lindy Gardner é uma pessoa importante? Sabe com que tipo de gente ela anda? Sabe o que ela poderia fazer por você com um telefonema? Tudo bem, ela agora está divorciada do Tony Gardner. Isso não muda nada. Com ela no seu time, com seu rosto novo, as portas vão se abrir. Você vai entrar para o primeiro time em cinco segundos.

— Eu não vou entrar para primeiro time nenhum, Bradley, porque eu não vou mais voltar lá, e não quero nenhuma porta se abrindo para mim a não ser as que se abrem por causa da minha música. E eu não acredito no que você disse antes, não acredito nessa babaquice de plano...

— Não acho que você devesse se expressar com tanta ênfase. Estou muito preocupado com esses pontos...

— Bradley, daqui a pouco você não vai precisar se preocupar mais com os meus pontos, sabe por quê? Eu vou arrancar esta máscara de múmia e enfiar os dedos nos cantos da boca e puxar minha cara até ela ficar esticada de todas as formas possíveis! Está me ouvindo, Bradley?

Eu o ouvi suspirar. Então ele disse:

— Tudo bem, acalme-se. Fique calmo. Você passou por muito estresse ultimamente. É compreensível. Se não quiser se encontrar com Lindy agora, se quiser deixar o ouro passar debaixo do seu nariz, tudo bem, eu entendo a sua posição. Mas seja educado, está bem? Invente uma boa desculpa. Não feche nenhuma porta.

Eu me senti bem melhor depois dessa conversa com Bradley, e tive uma noite razoavelmente agradável, primeiro assistindo a um filme, depois escutando Bill Evans. Na manhã seguinte, depois do café, o dr. Boris apareceu com duas enfermeiras, pareceu satisfeito e foi embora. Pouco depois, por volta das onze, recebi uma visita: um baterista chamado Lee com quem eu havia tocado na banda fixa de um bar em São Francisco alguns anos antes. Bradley, que também é empresário de Lee, havia sugerido que ele aparecesse.

Lee é simpático, e fiquei contente em vê-lo. Ele passou mais ou menos uma hora comigo e trocamos notícias sobre amigos em comum, quem estava tocando em qual banda, quem havia feito as malas e se mudado para o Canadá ou para a Europa.

— É uma pena tanta gente da geração antiga não estar mais por aqui — comentou ele. — Você se diverte a valer com eles, e então, quando percebe, já não sabe quem eles são.

Ele me falou sobre seus trabalhos recentes, e nós rimos relembrando a época de San Diego. Então, lá pelo final da visita, ele disse:

— E Jake Marvell? O que você acha dessa história? Que mundo estranho, não é?

— Estranho mesmo — falei. — Mas Jake sempre foi um bom músico, afinal. Ele merece o que tem.

— Sim, mas é estranho. Você se lembra de como Jake era

antigamente? Em San Diego? O cara não tinha nenhuma presença de palco, Steve. E olhe só para ele agora. Será apenas sorte?
— Jake sempre foi um cara bacana — falei. — E, na minha opinião, é bom ver qualquer saxofonista sendo reconhecido.
— Reconhecido, de fato — disse Lee. — E aqui mesmo neste hotel. Deixe eu ver, está aqui comigo. — Ele revirou a bolsa e sacou um exemplar surrado da LA *Weekly*. — É, está aqui. Prêmio de Música Simon and Wesbury. Melhor Jazzman do Ano. Jake Marvell. Vamos ver, quando é essa porra? Amanhã, no salão de baile. Você poderia descer essas escadas e ir assistir à cerimônia. — Ele largou o jornal e balançou a cabeça. — Jake Marvell. Melhor Jazzman do Ano. Quem diria, hein, Steve?
— Eu acho que não consigo chegar lá embaixo — falei. — Mas vou me lembrar de fazer um brinde a ele.
— Jake Marvell. Cara, esse mundo é mesmo doido, não é?

Mais ou menos uma hora depois do almoço, o telefone tocou e era Lindy.
— O tabuleiro de xadrez está todo arrumado — disse ela. — Está pronto para jogar? Não me diga não, eu estou enlouquecendo aqui de tanto tédio. Ah, e não se esqueça, traga os tais CDs. Estou morrendo de vontade de ouvir você tocar.
Desliguei o telefone, então fiquei sentado na beira da cama tentando entender por que não havia me defendido melhor. Na verdade, eu nem sequer havia esboçado um "não". Talvez fosse mera covardia. Ou talvez eu tivesse aceitado muito mais da argumentação de Bradley ao telefone do que quisera admitir. Mas agora não havia tempo para pensar nisso, porque eu precisava decidir quais dos meus CDs tinham maior probabilidade de impressioná-la. O material mais de vanguarda com certeza estava fora de cogitação, assim como o material que eu havia gravado com os

caras de eletro-funk de São Francisco no ano anterior. No final, acabei escolhendo apenas um CD, pus uma camisa limpa, tornei a vestir meu roupão por cima e fui até o quarto ao lado.

Ela também estava de roupão, mas um tipo de roupão que poderia ter usado na pré-estreia de um filme, sem muito constrangimento. De fato, o tabuleiro de xadrez estava montado na mesa baixa de vidro, e nós nos sentamos um de cada lado como da primeira vez e começamos a jogar. Talvez por termos algo para fazer com as mãos, as coisas correram bem mais tranquilas do que na visita anterior. Enquanto jogávamos, nos pegamos conversando sobre assuntos diversos: programas de TV, suas cidades europeias preferidas, comida chinesa. Dessa vez, ela citou uma quantidade bem menor de nomes famosos, e parecia bem mais calma. Em determinado momento, disse:

— Sabe o que eu faço para não enlouquecer neste lugar? Meu maior segredo? Vou contar para você, mas você jura não dizer nada a ninguém, nem mesmo a Gracie? O que eu faço é que saio para passear à meia-noite. Aqui mesmo dentro do prédio, mas este lugar é tão grande que você anda, anda e nunca chega ao fim. E bem no meio da noite é incrível. Na noite passada, fiquei andando o quê, uma hora, talvez? É preciso tomar cuidado, tem funcionários passando o tempo todo, mas eu nunca fui pega. Se escuto qualquer coisinha que seja, saio correndo e me escondo em algum lugar. Uma vez, os faxineiros me viram por um segundo, mas eu desapareci nas sombras assim, pum! É muito emocionante. Depois de passar o dia como um prisioneiro, é como se você estivesse completamente livre, é simplesmente maravilhoso. Um dia eu levo você comigo, querido. Vou mostrar coisas fantásticas a você. Os bares, os restaurantes, as salas de conferência. Um salão de baile maravilhoso. E sem ninguém dentro,

tudo escuro e vazio. E eu descobri um lugar fantástico, uma espécie de cobertura, acho que vai ser uma suíte presidencial. A obra ainda está na metade, mas eu consegui entrar e passei uns vinte minutos, uma meia hora lá dentro, só pensando na vida. Ei, Steve, é isso mesmo? Eu posso fazer isso e comer a sua rainha?
— Ah. É, acho que sim. Eu não tinha nem visto. Ora, Lindy, você é bem mais esperta do que diz. E agora, o que eu faço?
— Tudo bem, vamos fazer o seguinte. Como você é o convidado, e obviamente se distraiu com o que eu estava dizendo, vou fingir que não vi essa jogada. Viu como eu sou boazinha? Me diga uma coisa, Steve, não sei se já perguntei isto a você. Você é casado, não é?
— Sou, sim.
— E o que é que ela acha disto tudo? Quero dizer, isto aqui não custa barato. Ela poderia comprar vários pares de sapato com esse dinheiro.
— Ela não liga. Na verdade, foi ideia dela. Olhe só quem não está prestando atenção agora.
— Ah, que droga. Eu sou mesmo péssima neste jogo. Escute, eu não quero ser intrometida, mas ela vem visitar você sempre?
— Na verdade não veio nenhuma vez. Mas essa foi a nossa combinação antes de eu vir para cá.
— Ah, é?
Ela pareceu intrigada, então falei:
— Pode parecer estranho, eu sei, mas foi assim que quisemos fazer.
— Certo. — Então, depois de algum tempo, ela tornou a falar. — Então quer dizer que ninguém vem visitar você?
— Eu recebo visitas. Na verdade, recebi uma hoje de manhã. Um músico com quem eu trabalhava.
— Ah, é? Que bom. Sabe, querido, eu nunca soube direito

como mexer o cavalo. Se você me vir fazendo alguma coisa errada, é só dizer, está bem? Eu não estou tentando roubar no jogo.
— Claro. — Então eu completei. — O cara que veio me visitar hoje me deu uma notícia. Uma notícia meio estranha. Uma coincidência.
— Ah, é?
— Nós dois conhecíamos um saxofonista alguns anos atrás, em San Diego, um cara chamado Jake Marvell. Talvez você já tenha ouvido falar nele. Ele agora é do primeiro time. Mas na época, quando nós dois o conhecíamos, ele não era nada. Na verdade, era um farsante. O que se poderia chamar de blefe. Nunca soube direito lidar com as notas. E eu o escutei recentemente, várias vezes, e ele não melhorou nada. Mas teve algumas oportunidades, e agora é considerado um bom músico. Eu juro a você que ele não está nem um pouco melhor do que era antes, nem um pouco. E sabe qual foi a notícia? Esse mesmo cara, Jake Marvell, vai ganhar um prêmio importante de música amanhã, aqui neste hotel. Melhor Jazzman do Ano. É uma loucura, sabe? Existem tantos saxofonistas talentosos por aí, e resolvem dar esse prêmio logo ao Jake.

Forcei-me a parar de falar e, erguendo os olhos do tabuleiro de xadrez, dei uma risadinha.

— O que se há de fazer? — falei com mais suavidade.

Lindy estava sentada muito ereta, com toda a atenção concentrada em mim.

— Que pena. E esse cara não é bom, pelo que você acha?

— Desculpe, não foi correto dizer isso. Se eles querem dar um prêmio ao Jake, por que não poderiam dar?

— Mas se ele não é bom...

— Ele é tão bom quanto qualquer outro. Eu só estava falando da boca para fora. Desculpe, não ligue para o que eu disse.

— Ei, por falar nisso — disse Lindy. — Você se lembrou de trazer sua música?

Apontei para o CD ao meu lado no sofá.

— Não sei se você vai se interessar. Não precisa escutar...

— Ah, mas eu quero escutar, quero muito. Me dê aqui, deixe eu ver.

Entreguei-lhe o CD.

— É uma banda com a qual eu toquei em Pasadena. Nós tocávamos standards, swing à moda antiga, um pouco de bossa nova. Nada de especial, eu só trouxe porque você pediu.

Ela examinava a caixinha do CD segurando-a junto ao rosto, depois tornando a afastá-la.

— Você está nesta foto? — Ela voltou a aproximar a caixinha do rosto. — Estou bem curiosa para saber que cara você tem. Ou melhor, que cara você *tinha*.

— Eu sou o segundo da direita para a esquerda. O de camisa havaiana segurando a tábua de passar.

— *Este aqui?* — Ela ficou encarando o CD, depois olhou para mim. Então falou. — Ei, você é bonitinho. — Porém disse isso bem baixo, sem convicção na voz. Na verdade, detectei um nítido tom de pena em sua voz. Mas ela se recuperou quase no mesmo instante. — Muito bem, vamos escutar!

Enquanto ela caminhava até o Bang & Olufsen, eu falei:

— Faixa nove. "The Nearness of You." É minha faixa especial.

— "The Nearness of You" saindo...

Eu havia escolhido essa faixa após alguma reflexão. Os músicos daquela banda eram excelentes. Individualmente, todos nós tínhamos ambições mais ou menos radicais, mas havíamos formado a banda com o claro objetivo de tocar músicas *mainstream* de qualidade, do tipo que pudesse agradar aos participantes de um jantar. A nossa versão de "The Nearness of You" — na qual meu tenor aparecia do início ao fim — não estava muito distante do território de Tony Gardner, mas sempre havia provocado em mim um orgulho genuíno. Talvez vocês achem que já escutaram todas as versões possíveis dessa música. Bem, precisam ouvir a nossa. Ouçam, por exemplo, o segundo refrão. Ou a hora em que terminamos os compassos de transição, quando a banda passa de iii-5 para vix-9 enquanto eu vou subindo o tom em intervalos que vocês nunca pensaram ser possíveis e depois sustento um si bemol agudo delicioso e bem delicado. Acho que nessa música há matizes, anseios e tristezas de um tipo que vocês nunca devem ter visto.

Então podia-se dizer que eu estava confiante que Lindy iria gostar dessa gravação. E durante o primeiro minuto ou algo assim ela pareceu mesmo estar gostando. Continuou em pé depois de colocar o cd no aparelho e, como quando havia tocado o disco do marido para mim, começou a se balançar de forma sonhadora ao ritmo lento da música. Mas então o ritmo sumiu de seus movimentos e ela ficou ali em pé, parada, de costas para mim, com a cabeça inclinada para a frente como se estivesse concentrada. No início não interpretei isso como um mau sinal. Só quando ela voltou andando e se sentou enquanto a música ainda estava no meio é que percebi que havia algo errado. Por causa das ataduras, eu não conseguia ler sua expressão, é claro, mas a forma como se deixou cair no sofá, como um manequim duro, não pareceu um bom sinal.

Quando a faixa terminou, peguei o controle remoto e desliguei o som. Durante um tempo que pareceu muito longo, ela continuou como estava, rígida e pouco à vontade. Então se ergueu um pouco e começou a mexer em uma peça de xadrez.

— Foi muito bom — disse. — Obrigada por me deixar escutar. — Soava como uma frase feita, e ela não pareceu se importar com isso.

— Talvez não seja exatamente o seu tipo de música.

— Não, não. — A voz dela se tornou mal-humorada e baixa. — Foi ótimo. Obrigada por me deixar escutar. — Ela moveu a peça de xadrez para uma casa e tornou a falar. — Sua vez.

Olhei para o tabuleiro, tentando me lembrar em que ponto do jogo estávamos. Depois de algum tempo, perguntei delicadamente:

— Essa música em particular desperta alguma lembrança especial em você?

Ela ergueu os olhos, e pude sentir raiva por trás das ataduras. Mas ela disse com a mesma voz baixa:

— Essa música? Ela não me desperta nenhuma lembrança. Nada mesmo. — De repente, ela riu, um riso breve e cruel.

— Ah, você quer dizer alguma lembrança relacionada a *ele*, ao Tony? Não, não. Essa música nunca fez parte do repertório dele. Você a toca muito bem. Como um profissional de verdade.

— Um *profissional* de verdade? Como assim?

— Quero dizer... é muito profissional. Digo isso como um elogio.

— Profissional? — Eu me levantei, atravessei o quarto e tirei o disco do aparelho.

— Por que você está tão bravo? — A voz dela continuava distante e fria. — Eu disse alguma coisa errada? Desculpe. Estava tentando ser gentil.

Voltei à mesa, guardei o disco na caixinha, mas não tornei a me sentar.

— Nós não vamos terminar a partida? — perguntou ela.

— Se você não se incomoda, eu tenho umas coisas para fazer. Telefonemas. Papelada.

— Por que você ficou tão bravo? Não estou entendendo.

— Eu não estou bravo. Está ficando tarde, só isso.

Ela pelo menos se levantou para me acompanhar até a porta, onde nos despedimos com um aperto de mão frio.

Já comentei como a minha rotina de sono tinha ficado perturbada depois da cirurgia. Nessa noite, fiquei cansado de repente, fui para a cama cedo, dormi profundamente por algumas horas, depois acordei no meio da noite e não consegui mais dormir. Depois de algum tempo, me levantei e liguei a TV. Encontrei um filme que eu tinha visto quando era garoto, então puxei uma cadeira e assisti ao trecho que faltava com o volume bem baixo. Quando o filme terminou, assisti a dois pastores gritando um com o outro diante de uma plateia ruidosa. De modo geral, estava satisfeito. Eu me sentia confortável e a um milhão de quilômetros do mundo real. Então meu coração praticamente saltou de dentro do peito quando o telefone tocou.

— Steve? É você? — Era Lindy. Sua voz soava estranha e eu me perguntei se ela havia bebido.

— Sim, sou eu.

— Sei que está tarde. Mas agora há pouco, quando passei, vi a luz acesa debaixo da sua porta. Imaginei que você não estivesse conseguindo dormir, como eu.

— Pois é. É difícil manter horários regulares.

— É. É, sim.

— Está tudo bem? — perguntei.

— Claro. Tudo bem. Tudo *ótimo*.

Percebi então que ela não estava bêbada, mas não conseguia identificar o que havia de errado com ela. Também não devia estar drogada; estava apenas estranhamente desperta, e talvez animada com alguma coisa que tinha para me dizer.

— Tem certeza de que está tudo bem? — perguntei de novo.

— Tenho, tenho sim, mas... Olhe, querido, estou com uma coisinha aqui, uma coisa que quero dar para você.

— Ah, é? E o que seria essa coisa?

— Não quero dizer. Quero que seja surpresa.

— Parece interessante. Eu passo aí para pegar, quem sabe depois do café da manhã?
— Eu estava torcendo para você vir pegar agora. Quero dizer, estou com ela aqui, e você está acordado e eu também. Sei que é tarde, mas... Escute, Steve, sobre hoje mais cedo, sobre o que aconteceu. Eu sinto que devo uma explicação a você.
— Esqueça. Eu não me importei...
— Você ficou bravo comigo porque pensou que eu não tivesse gostado da sua música. Bom, não é verdade. É o contrário da verdade, o oposto completo. Sabe aquilo que você tocou para mim, aquela versão de "Nearness of You"? Eu não consegui tirar essa música da cabeça. Não, da cabeça não, do coração. Não consegui tirar essa música do meu *coração*.

Eu não soube o que dizer, e antes de conseguir pensar em qualquer coisa ela já havia recomeçado a falar.
— Pode vir aqui? Agora? Aí eu explico tudo direitinho. E mais importante... Não, não, eu não vou dizer. Vai ser surpresa. Venha até aqui e você vai ver. E traga o seu CD de novo. Pode fazer isso?

Ela pegou o CD da minha mão assim que abriu a porta, como se eu fosse um boy, mas depois me segurou pelo pulso e me conduziu para dentro do quarto. Lindy estava usando o mesmo roupão glamoroso de antes, mas agora parecia menos impecável: um dos lados do roupão pendia mais baixo do que o outro, e na parte de trás de suas ataduras, perto da linha do pescoço, estava preso um montinho de poeira fofa.
— Imagino que você tenha ido dar um dos seus passeios noturnos — falei.
— Que bom que você está acordado. Não sei se eu conseguiria esperar até de manhã. Agora escute, como eu disse, tenho

uma surpresa. Espero que você goste, acho que vai gostar. Mas primeiro quero que você fique à vontade. Nós vamos escutar a sua música de novo. Deixe eu ver aqui, qual era mesmo a faixa?

Sentei-me no meu sofá habitual e fiquei vendo-a mexer no som. A iluminação do quarto era suave e o ar estava agradavelmente fresco. Então "The Nearness of You" começou a tocar bem alto.

— Você não acha que isso pode incomodar as pessoas? — perguntei.

— As pessoas que se danem. Nós pagamos suficientemente caro para estar aqui, isso não é problema nosso. Agora shh! Escute, escute!

Ela começou a se balançar ao som da música, como tinha feito antes, só que dessa vez não parou depois de um verso. Na verdade, pareceu ir se perdendo cada vez mais na música à medida que esta progredia, de braços estendidos, como se estivesse dançando com um par imaginário. Quando a música terminou, ela desligou o som e ficou parada, em pé no fundo do quarto, de costas para mim. Continuou assim por um tempo que pareceu bem longo, depois finalmente se virou.

— Não sei o que dizer — falou ela. — É sublime. Você é um músico maravilhoso, maravilhoso. Você é um gênio.

— Bem, obrigado.

— Eu soube disso já na primeira vez. A verdade é essa. Foi por isso que tive aquela reação. Fingindo que não tinha gostado, me fazendo de arrogante, sabe? — Ela se sentou em frente a mim e deu um suspiro. — Tony costumava me criticar por causa disso. Sempre tive essa mania, é algo de que aparentemente não consigo me livrar. Quando encontro alguém, sabe, alguém que tem muito talento, alguém que simplesmente foi abençoado dessa forma por Deus, não consigo evitar, meu primeiro instinto é fazer o que fiz com você. É que, sei lá, acho que é inveja.

É como quando você vê aquelas mulheres de vez em quando, sabe, que são meio feiosas? Uma mulher linda entra no mesmo recinto e elas sentem ódio, querem arrancar os olhos da outra. É assim que eu fico quando encontro alguém como você. Principalmente se for inesperado, como aconteceu hoje, e eu não estiver pronta. Quero dizer, lá estava você, em um minuto eu achei que você fosse só mais um na plateia, e então de repente você é... bem, outra coisa. Entende o que estou dizendo? Enfim, estou tentando explicar para você por que me comportei tão mal ontem. Você teve todo o direito de ficar zangado comigo.

O silêncio daquela hora tardia da noite pairou entre nós por alguns instantes.

— Bom, fico feliz — falei depois de algum tempo. — Fico feliz por você ter me dito isso.

Ela se levantou de repente.

— E agora, a surpresa! Espere aqui, não se mexa.

Ela entrou no quarto contíguo e a ouvi abrir e fechar gavetas. Quando voltou, segurava alguma coisa em frente ao corpo com as duas mãos, mas não consegui ver o que era porque ela a havia coberto com um lenço de seda. Parou no meio da sala.

— Steve, quero que você venha aqui receber isto. Vai ser uma entrega.

Fiquei intrigado, mas me levantei. Quando estava andando em sua direção, ela retirou o lenço e estendeu na minha direção um reluzente ornamento de latão.

— Você mais do que merece isto aqui. Então é seu. Melhor Jazzman do Ano. Talvez de todos os tempos. Parabéns.

Ela pôs o objeto nas minhas mãos e me beijou de leve na bochecha por cima da gaze.

— Bem, obrigado. É *mesmo* uma surpresa. Olhe só que beleza. O que é? Um jacaré?

— Jacaré? Por favor! São dois lindos querubins se beijando.

— Ah, sim, agora estou vendo. Bem, obrigado, Lindy. Não sei o que dizer. É lindo mesmo.

— Um jacaré!

— Desculpe. Mas é o jeito como este daqui está com a perna toda esticada. Mas agora estou vendo. É lindo, mesmo.

— Bom, é seu. Você merece.

— Estou comovido, Lindy. Estou mesmo. E o que está escrito aqui? Estou sem óculos.

— Está escrito "Melhor Jazzman do Ano". O que mais estaria escrito?

— É isso que está escrito?

— Claro que é isso que está escrito.

Voltei para o sofá segurando a estatueta, sentei-me e pensei um pouco.

— Me diga uma coisa, Lindy — falei depois de algum tempo. — Este objeto que você acabou de me dar. Não seria possível você ter encontrado isso durante um dos seus passeios à meia-noite, seria?

— Claro. Seria possível, sim.

— Entendo. E não seria possível isto aqui ser o prêmio de verdade? Quero dizer, o prêmio que eles iam entregar a Jake?

Lindy passou alguns segundos sem dizer nada, mas continuou ali em pé, sem se mexer. Então respondeu:

— É claro que esse é o prêmio verdadeiro. Qual seria a graça de dar a você alguma quinquilharia velha? Uma injustiça estava prestes a ser cometida, mas agora a justiça prevaleceu. Isso é o que importa. Ora, querido, por favor. Quem merece esse prêmio é você.

— Fico feliz que você pense assim. Mas é que... bem, isso é uma espécie de roubo.

— Roubo? Você mesmo não disse que esse cara não presta? Que é um farsante? E você é um gênio. Quem está tentando roubar de quem nesse caso?

— Lindy, onde foi exatamente que você encontrou esta coisa?

Ela deu de ombros.

— Em um lugar. Um dos lugares aonde eu vou. Um escritório, é, talvez seja isso.

— Hoje à noite? Você pegou hoje?

— É claro que peguei hoje. Ontem à noite eu não sabia sobre o seu prêmio.

— Claro, claro. Então isso faz mais ou menos uma hora, você diria?

— Uma hora. Talvez duas. Quem vai saber? Eu passeei por algum tempo. Depois fiquei um tempinho na minha suíte presidencial.

— Meu Deus.

— Olhe aqui, quem é que se importa com isso? O que está deixando você tão preocupado? Se eles perderem este, podem simplesmente arrumar outro. Deve haver um armário cheio de prêmios em algum lugar. Eu dei a você uma coisa que você merecia. Você não vai recusar, vai, Steve?

— Eu não estou recusando, Lindy. O sentimento, a honra, tudo isso eu aceito, fico realmente feliz. Mas isto aqui, o troféu mesmo, este nós vamos ter que devolver. Vamos ter que recolocar exatamente onde você encontrou.

— Eles que se danem! Quem se importa com isso?

— Lindy, você não pensou direito na situação. O que vai fazer quando descobrirem? Pode imaginar como a imprensa vai usar essa informação? As fofocas, o escândalo? O que o seu público vai dizer? Vamos. Nós vamos sair agorinha mesmo, antes que as pessoas comecem a acordar. Você vai me mostrar exatamente onde encontrou esta coisa.

De repente, ela pareceu uma criança que acabara de levar uma bronca. Então suspirou e disse:

— Acho que você tem razão, querido.

* * *

Depois que concordamos em devolver o prêmio, Lindy se tornou bastante possessiva em relação a ele, segurando-o junto ao peito durante todo nosso trajeto apressado pelos corredores do imenso hotel adormecido. Ela seguiu na frente, descendo escadas escondidas, percorrendo corredores dos fundos, passando por saunas e máquinas de venda automática. Não vimos nem ouvimos vivalma. Então Lindy sussurrou:

— Foi por aqui — e empurramos duas portas pesadas para entrar em um espaço escuro.

Depois de eu me certificar de que estávamos sozinhos, acendi a lanterna que tinha pegado no quarto de Lindy e iluminei em volta. Estávamos no salão de baile, mas se alguém quisesse dançar naquele momento iria ter dificuldades com todas aquelas mesas de jantar, cada qual coberta por sua toalha de linho branco e rodeada por um conjunto de cadeiras. O teto tinha um elegante candelabro central. No canto mais afastado, havia um palco elevado, provavelmente grande o suficiente para comportar um espetáculo de porte considerável, apesar de agora a cortina estar fechada. Alguém havia deixado uma escada portátil no meio do aposento, e um aspirador de pó vertical apoiado na parede.

— Vai ser uma festa e tanto — comentou ela. — Quatrocentas, quinhentas pessoas?

Avancei em direção ao meio do salão e iluminei um pouco mais em volta com a lanterna.

— Vai ver é aqui que vai ser. É aqui que vão entregar o prêmio ao Jake.

— É claro que é. Onde eu encontrei este aqui — ela suspendeu a estatueta — tinha outros também. Melhor Revelação. Melhor Álbum de r&b do Ano. Esse tipo de coisa. Vai ser um evento grande.

Agora que meus olhos haviam se ajustado, eu conseguia ver melhor o salão, embora a lanterna não fosse muito potente. E por um instante, enquanto estava ali olhando para o palco, imaginei o aspecto que o lugar teria mais tarde. Imaginei todas as pessoas com suas roupas chiques, os executivos das gravadoras, os promoters importantes, as diversas celebridades do showbiz, todas rindo e se congratulando; os aplausos sinceros e bajuladores sempre que o mestre de cerimônias anunciasse o nome de um patrocinador; mais aplausos, dessa vez com vivas e assobios, quando os vencedores subissem ao palco. Imaginei Jake Marvell em cima daquele palco, segurando seu troféu, com o mesmo sorriso arrogante que sempre ostentava em San Diego quando terminava um solo e depois de o público aplaudir.

— Talvez a gente tenha feito errado — falei. — Talvez não haja necessidade de devolver isto aqui. Talvez o melhor seja jogar no lixo. E jogar também todos os outros prêmios que você encontrou.

— Ah, é? — Lindy soava intrigada. — É isso que você quer fazer, querido?

Dei um suspiro.

— Não, acho que não. Mas seria... seria agradável, não? Todos esses prêmios no lixo. Aposto que todos esses ganhadores são farsantes. Aposto que somando o talento de todos eles não dá nem para encher um pão de cachorro-quente.

Esperei Lindy fazer algum comentário sobre isso, mas ela não disse nada. Então, quando por fim ela falou, havia um tom diferente em sua voz, algo mais contraído.

— Como é que você sabe que alguns desses caras não são bons? Como é que você sabe que alguns deles não merecem o prêmio?

— Como é que eu sei? — Senti uma onda repentina de irritação. — Como é que eu sei? Bem, pense um pouco. Um júri que considera Jake Marvell o melhor músico de jazz do ano. Que outro tipo de pessoas um júri desses pode homenagear?

— Mas o que é que você sabe sobre esses caras? Até mesmo sobre esse tal de Jake? Como é que você sabe que ele não deu duro para chegar aonde chegou?

— Que história é essa? Você agora é a mais nova fã do Jake?

— Só estou dando a minha opinião.

— A sua opinião? Então essa é a sua opinião? Acho que eu não deveria estar tão surpreso. Por um instante me esqueci de quem você era.

— Que droga isso quer dizer? Como se atreve a falar assim comigo?

Ocorreu-me que eu estava perdendo as estribeiras. Falei depressa:

— Tudo bem, eu estou passando dos limites. Desculpe. Agora vamos achar esse tal escritório.

Lindy havia se calado e, quando me virei de frente para ela, não pude ver suficientemente bem no escuro para ter uma ideia do que ela estava pensando.

— Lindy, onde fica o escritório? Nós temos que encontrar.

Depois de algum tempo, ela acabou apontando com a estatueta em direção aos fundos do salão, e então seguiu na frente, passando entre as mesas, ainda sem dizer nada. Quando chegamos, encostei o ouvido na porta durante alguns segundos e, como não escutei nada, abri-a com cuidado.

Estávamos dentro de um espaço comprido e estreito que parecia paralelo ao salão de baile. Uma luz mortiça fora deixada acesa em algum lugar, de modo que bem ou mal conseguíamos distinguir as coisas sem a lanterna. Aquele obviamente não era o escritório que estávamos procurando, e sim algum tipo de serviço de bufê e cozinha. Longas bancadas de trabalho margeavam ambas as paredes, deixando no meio um corredor largo o suficiente para os funcionários poderem acrescentar os toques finais à comida.

Mas Lindy pareceu reconhecer o lugar e avançou pelo corredor a passos largos, decidida. Mais ou menos na metade do caminho, parou de repente para examinar uma das assadeiras que haviam sido deixadas sobre a bancada.

— Olhe, biscoitos! — Ela parecia ter recuperado por completo a calma. — Que pena estarem cobertos com celofane. Estou faminta! Olhe! Vamos ver o que tem aqui embaixo.

Ela deu mais alguns passos até chegar a uma tampa em forma de redoma e a levantou.

— Veja só isto aqui, querido. Está com uma cara *ótima*.

Ela estava inclinada por cima de um rechonchudo peru assado. Em vez de recolocar a redoma no lugar, pousou-a cuidadosamente ao lado da ave.

— Você acha que eles iriam se importar se eu pegasse uma coxa?

— Acho que iriam se importar muito, Lindy. Mas e daí?

— É um peru bem grande. Quer dividir uma coxa comigo?

— Claro, por que não?

— Tudo bem. Aí vai.

Ela estendeu a mão em direção ao peru. Então, de repente, endireitou-se e se virou de frente para mim.

— O que você quis dizer com aquilo que falou antes?

— O que eu quis dizer com o quê?

— Com aquilo que você disse. Quando falou que não estava surpreso. Sobre a minha opinião. Que história era aquela?

— Olhe, me desculpe. Eu não estava querendo ofender. Só estava pensando em voz alta, só isso.

— Pensando em voz alta? Bom, que tal pensar um pouco mais em voz alta? Eu sugeri que alguns desses caras talvez tenham merecido os prêmios; por que isso é uma afirmação ridícula?

— Olhe, eu só estou dizendo que as pessoas erradas acabam levando os prêmios. Só isso. Mas você parece achar outra coisa. Você acha que não é isso que acontece...

— Alguns desses caras podem ter dado um tremendo duro para chegar aonde chegaram. E talvez eles mereçam algum reconhecimento. O problema com gente feito você é que, só porque Deus lhes deu esse dom especial, vocês acham que isso dá o direito de fazer qualquer coisa. Se acham melhores do que todos nós, acham que sempre merecem furar a fila. Vocês não entendem que muita gente não teve a mesma sorte que vocês e deu muito duro para conseguir seu lugar no mundo...

— Então você acha que eu não dou duro? Acha que eu passo o dia inteiro sentado coçando o saco? Eu suo, bufo e me ralo todo para produzir alguma coisa válida, alguma coisa bonita, e quem é que ganha o reconhecimento? Jake Marvell! Gente feito você!

— Como você se atreve a dizer isso, porra?! O que é que eu tenho a ver com essa história? Por acaso sou eu que estou ganhando algum prêmio hoje? Por acaso eu algum dia ganhei alguma coisa, mesmo na escola, alguma droga de certificado por cantar, dançar ou qualquer outra porcaria? Não! Não ganhei nada, porra! Tive que ficar vendo vocês todos, seus nojentos, subirem lá para receber os prêmios, e todos os pais aplaudindo...

— Nenhum prêmio? Nenhum prêmio? Olhe para você! Quem foi que ficou famosa? Quem foi que conseguiu as casas chiques...

Nesse momento, alguém acendeu um interruptor, e nós começamos a piscar um para o outro sob luzes fortes e ofuscantes. Dois homens haviam entrado, do mesmo jeito que nós, e agora avançavam em nossa direção. O corredor era largo o suficiente para que eles pudessem andar lado a lado. Um dos homens era um negro imenso que usava um uniforme de segurança do hotel e que trazia na mão o que primeiro pensei ser uma arma mas que na verdade era um walkie-talkie. Ao seu lado vinha um branco baixinho de terno azul-claro e com cabelos pretos lambidos. Nenhum dos dois parecia particularmente respeitoso. Pararam a um ou dois metros de nós, e então o mais baixo tirou do paletó um documento de identificação.

— Polícia de Los Angeles — disse. — Agente Morgan.

— Boa noite — falei.

Por alguns instantes, o policial e o segurança continuaram a nos olhar em silêncio. Então o policial perguntou:

— Vocês são hóspedes do hotel?

— Somos, sim — respondi. — Somos hóspedes.

Senti o pano macio da camisola de Lindy roçar nas minhas costas. Então ela segurou meu braço e ficamos lado a lado.

— Boa noite, agente Morgan — disse ela com uma voz sonolenta e melosa que não se parecia em nada com seu tom habitual.

— Boa noite, senhora — disse o policial. — Vocês estão acordados a esta hora por alguma razão específica?

Nós dois começamos a responder ao mesmo tempo, e então rimos. Mas nenhum dos dois homens riu nem sorriu.

— Não estávamos conseguindo dormir — disse Lindy. — Então saímos para dar uma volta.

— Uma volta. — O policial olhou em volta para o espaço iluminado pela luz ofuscante. — Procurar alguma coisa para comer, quem sabe?

— É isso mesmo, agente Morgan! — A voz de Lindy ainda estava muitos tons acima do normal. — Ficamos com um pouco de fome, como tenho certeza de que o senhor às vezes também fica durante a noite.

— Imagino que o serviço de quarto não seja lá essas coisas — disse o policial.

— Não, não é muito bom — falei.

— Só tem o de sempre — disse o policial. — Filé, pizza, hambúrguer, club sandwich triplo. Eu sei porque eu próprio acabei de pedir um serviço de quarto. Mas imagino que vocês não gostem desse tipo de comida.

— Bom, agente Morgan, o senhor sabe como é — disse Lindy. — É pela *diversão*. Pela diversão de se esgueirar até aqui e dar uma mordidinha, sabe, uma coisa um pouco proibida, como o senhor fazia quando era criança.

Nenhum dos dois homens deu sinal de estar afrouxando. No entanto o policial disse:

— Desculpem incomodar. Mas, vocês entendem, os hóspedes não podem entrar aqui. E ultimamente sumiram uma ou duas coisas.

— É mesmo?

— É. Vocês viram algo suspeito hoje?

Lindy e eu nos entreolhamos e ela então sacudiu a cabeça para mim de forma enfática.

— Não — respondi. — Não vimos nada estranho.

— Nada mesmo?

O segurança tinha chegado mais perto, e então passou por nós, espremendo o corpanzil pelo espaço entre as duas bancadas. Percebi que a sua intenção era nos examinar mais de perto para ver se por acaso estávamos escondendo alguma coisa junto ao corpo, enquanto seu colega continuava falando.

— Não, nada — respondi. — Em que tipo de coisa o senhor está pensando?

— Pessoas suspeitas. Atividades fora do normal.

— O senhor quer dizer, agente Morgan — disse Lindy com um tom de indignação chocado —, que algum quarto foi arrombado?

— Não exatamente, senhora. Mas determinados objetos de valor sumiram.

Senti o segurança mudar de posição atrás de nós.

— Então é por isso que o senhor está aqui conosco — disse Lindy. — Para nos proteger e proteger nossos pertences.

— Isso mesmo, senhora. — Os olhos do policial se moveram de forma quase imperceptível, e tive a impressão de que ele havia trocado olhares com o homem atrás de nós. — Então, se vocês virem alguma coisa estranha, por favor liguem imediatamente para a segurança.

A conversa parecia ter chegado ao fim, e o policial se afastou de lado para nos deixar sair. Aliviado, fiz menção de ir embora, mas Lindy falou:

— Acho que foi uma travessura da nossa parte descer aqui para comer. Pensamos em pegar um pedaço do bolo que está ali, mas depois achamos que ele poderia ser para algum evento especial e que seria uma pena estragar.

— O serviço de quarto deste hotel é bom — disse o policial.

— Vinte e quatro horas.

Dei um puxão em Lindy, mas ela parecia tomada por aquela mania dos criminosos, tantas vezes mencionada, de flertar com o perigo de ser pego.

— E o senhor mesmo acabou de pedir alguma coisa, agente Morgan?

— Claro.

— E estava bom?

— Bastante bom. Recomendo que vocês façam a mesma coisa.

— Vamos deixar estes senhores continuarem com sua investigação — falei, puxando o braço dela. Mas mesmo assim Lindy não se moveu.

— Agente Morgan, posso perguntar uma coisa? — indagou ela. — O senhor se importa?

— Pode falar.

— O senhor estava falando agora há pouco sobre ver alguma coisa estranha. Por acaso está vendo alguma coisa estranha? Quero dizer, em nós?

— Não estou entendendo, senhora.

— Como o fato de estarmos com o rosto completamente enfaixado? O senhor reparou?

O policial nos olhou com cuidado, como se quisesse verificar esta última informação. Então disse:

— Na verdade, senhora, eu reparei sim. Mas não quis fazer nenhum comentário pessoal.

— Ah, entendo — disse Lindy. Ela então se virou para mim.

— Que delicadeza da parte dele, não é?

— Vamos — falei, agora puxando o braço dela com bastante força. Pude sentir os dois homens com os olhos pregados nas nossas costas enquanto nos encaminhávamos para a saída.

Atravessamos o salão de baile com um semblante de calma. No entanto, depois de passarmos pelas grandes portas de vaivém, deixamo-nos tomar pelo pânico e praticamente começamos a correr. Continuávamos de braços dados, então tropeçamos e esbarramos várias vezes um no outro enquanto Lindy ia me conduzindo pelo hotel. Ela então me puxou para dentro de um elevador de serviço, e foi só quando a porta se fechou e começamos a subir que ela me soltou, recostou-se na parede de metal e começou a emitir um barulho esquisito, que percebi ser o som de uma risada histérica através de ataduras.

Quando saímos do elevador, ela tornou a passar o braço pelo meu.

— Tudo bem, estamos seguros — disse. — Agora quero levar você a um lugar. Isto é mesmo emocionante. Está vendo isto aqui? — Ela erguia um cartão que fazia as vezes de chave. — Vamos ver o que isto aqui consegue fazer por nós.

Ela usou o cartão para nos fazer passar por uma porta onde estava escrito "Particular", depois por outra onde estava escrito "Perigo. Mantenha distância". Então nos vimos de pé em um espaço com cheiro de tinta e gesso. Cabos pendiam das paredes e do teto, e o chão frio estava molhado e sujo. Conseguíamos ver bem porque um dos lados do aposento era todo feito de vidro — sem cortinas nem persianas — e toda a iluminação externa enchia o lugar de manchas amareladas. Estávamos ainda mais alto do que no nosso andar: adiante de nós havia uma vista como de cima de um helicóptero para a pista de alta velocidade e a área ao redor.

— Aqui vai ser outra suíte presidencial — disse Lindy. — Eu adoro vir aqui. Ainda não tem interruptor de luz nem carpete. Mas está tudo progredindo devagar. Na primeira vez que vim aqui, estava muito mais atrasado. Agora dá para ver como vai ficar. Já tem até um sofá.

No centro do espaço havia uma forma grandalhona totalmente coberta por um lençol. Lindy andou até lá como se aquilo fosse um velho amigo e deixou-se cair em cima dele, cansada.

— É uma fantasia minha — disse ela —, e eu acredito um pouco nela. Estão construindo este quarto só para mim. É por isso que eu posso vir até aqui. Tudo isto. É porque eles estão me ajudando. Ajudando a construir o meu futuro. Este lugar estava uma verdadeira bagunça. Mas olhe agora. Está tomando forma. Vai ficar um luxo. — Ela deu alguns tapinhas no espaço ao seu lado. — Venha, querido, descanse um pouco. Estou exausta. Você também deve estar.

O sofá — ou o que quer que fosse aquilo debaixo do lençol — era surpreendentemente confortável, e assim que afundei nele senti ondas de cansaço me tragando.

— Rapaz, que sono — disse Lindy, apoiando-se em meu ombro. — Não é incrível este lugar? Na primeira vez que vim aqui, encontrei a chave na fechadura.

Passamos algum tempo em silêncio, e eu senti que estava pegando no sono. Mas então me lembrei de uma coisa.

— Ei, Lindy.

— Hmm?

— Lindy. O que aconteceu com o prêmio?

— O prêmio? Ah, sim. O prêmio. Eu escondi. O que mais poderia fazer? Você merecia mesmo aquele prêmio, sabe, querido. Espero que eu ter dado o prêmio a você hoje, como fiz, signifique alguma coisa para você. Não foi só um capricho. Eu pensei muito. Pensei com muito cuidado mesmo. Não sei se isso significa muita coisa para você. Não sei nem se você vai se lembrar daqui a dez, vinte anos.

— Vou me lembrar com certeza. E significa muito para mim. Mas, Lindy, você disse que escondeu o prêmio... Onde? Onde foi que escondeu?

— Hmm? — Ela estava pegando no sono novamente. — Escondi no único lugar que podia. Enfiei dentro daquele peru.

— Enfiou dentro do peru.

— Uma vez, quando eu tinha nove anos, fiz exatamente a mesma coisa. Escondi o globo fosforescente da minha irmã dentro de um peru. Foi isso que me deu a ideia. Pensei rápido, não foi?

— É, pensou, sim. — Eu estava muito cansado, porém forcei-me a me concentrar. — Mas, Lindy, você escondeu direito? Quero dizer, será que aqueles policiais já encontraram?

— Não vejo como poderiam ter encontrado. Não ficou nenhuma parte saindo para fora, se é isso que você quer dizer. Por que eles iriam pensar em procurar lá dentro? Eu fiquei empurrando atrás das costas, assim. E continuei empurrando. Não queria me virar para olhar para o prêmio, porque senão aqueles rapazes iriam se perguntar o que eu estava fazendo. Não foi só um capricho, sabe? Decidir dar aquele prêmio a você. Eu pensei muito, pensei bastante. Espero mesmo que signifique alguma coisa para você. Meu Deus, preciso dormir.

Ela se deixou cair ao meu lado e segundos depois estava emitindo ruídos de ronco. Preocupado com a cirurgia dela, posicionei sua cabeça com cuidado para que a bochecha não ficasse imprensada contra meu ombro. Em seguida eu também peguei no sono.

Acordei sobressaltado e vi sinais da aurora na grande janela à nossa frente. Lindy ainda dormia a sono solto, então me afastei dela com cuidado, me levantei e estiquei os braços. Fui até a janela e olhei para o céu claro e para a pista de alta velocidade lá embaixo. Estava pensando em alguma coisa ao pegar no sono, e tentei me lembrar do que era, mas meu cérebro estava embotado e exausto. Então me lembrei, fui até o sofá e acordei Lindy com uma sacudidela.

— O que houve? O que houve? O que você quer? — perguntou ela sem abrir os olhos.

— Lindy — falei. — O prêmio. Nós esquecemos o prêmio.

— Eu já disse. Está dentro do peru.

— Tá bom, então escute. Talvez aqueles policiais não tenham pensado em procurar dentro do peru. Mas alguém vai encontrar, mais cedo ou mais tarde. Alguém pode estar cortando o peru neste exato momento.

— E daí? Eles vão encontrar o negócio lá dentro. E daí?

— Se encontrarem o negócio lá dentro, vão avisar que encontraram. E aquele policial vai se lembrar de nós. Ele se lembra que estávamos lá, bem ao lado do peru.

Lindy pareceu ficar mais desperta.

— É — disse ela. — Entendo o que você quer dizer.

— Enquanto aquele prêmio estiver dentro do peru, eles podem nos ligar ao crime.

— Crime? Ei, como assim, crime?

— O nome não importa. Nós temos que voltar lá e tirar aquele troço de dentro do peru. Não interessa onde vamos deixar depois. Mas não podemos deixar onde está agora.

— Querido, tem certeza de que precisamos fazer isso? Estou tão cansada.

— Nós temos que fazer isso, Lindy. Se deixarmos como está, você vai ficar encrencada. E lembre-se de que isso é uma história e tanto para a imprensa.

Lindy pensou no assunto, em seguida endireitou a postura alguns centímetros e ergueu os olhos para mim.

— Tá bom — disse. — Vamos voltar lá.

Dessa vez havia barulhos de limpeza e vozes pelos corredores, mas mesmo assim conseguimos voltar ao salão de baile sem encontrar ninguém. Também havia mais luz para ver em volta, e Lindy apontou para o aviso ao lado da porta dupla. Ele dizia, em letras de plástico avulsas: CAFÉ DA MANHÃ DA J.A. LIMPADORES DE PISCINA LTDA.

— Não é de espantar que não tenhamos encontrado aquele escritório com todos os prêmios — disse ela. — Este é outro salão.

— Não tem importância. O que queremos agora está aqui.

Atravessamos o salão, depois entramos com cuidado na sala do serviço de bufê. Como antes, uma luz fraca fora deixada acesa, e agora um pouco de luz natural também entrava pelas janelas de ventilação. Não havia ninguém por perto, mas, quando passei os olhos pelas bancadas, vi que estávamos encrencados.

— Parece que alguém passou por aqui — eu disse.

— É. — Lindy deu alguns passos pelo espaço entre as bancadas, olhando em volta. — É, parece que sim.

Todas as latas, bandejas, caixas de bolo e travessas com redomas prateadas que tínhamos visto mais cedo haviam desaparecido. Em seu lugar havia pilhas bem-arrumadas de pratos e guardanapos dispostos a intervalos regulares.

— Tudo bem, então eles levaram toda a comida — falei. — A pergunta é: para onde?

Lindy avançou mais um pouco por entre as bancadas, em seguida se virou para mim.

— Steve, você se lembra que antes daqueles homens aparecerem estávamos tendo uma conversa e tanto aqui mesmo?

— É, eu me lembro. Mas por que falar nisso de novo? Eu sei que passei dos limites.

— É, está certo, vamos esquecer. Mas onde foi parar aquele peru? — Ela olhou em volta mais um pouco. — Sabe de uma coisa, Steve? Quando eu era criança, queria muito ser dançarina e cantora. E eu tentei, tentei, só Deus sabe como tentei, só que as pessoas apenas riam, e eu pensei: como este mundo é injusto. Mas depois eu cresci um pouco e percebi que o mundo, no final das contas, não era tão injusto assim. Que mesmo se você fosse como eu, um dos não abençoados, mesmo assim havia uma chance, você ainda poderia encontrar um lugar ao sol, não precisava se contentar em ser apenas *público*. Não seria fácil. Você teria de se esforçar, teria de não ligar para o que os outros dissessem. Mas com certeza ainda havia uma chance.

— Bom, parece que você se saiu bem.

— É engraçado o jeito como o mundo funciona. Eu acho que foi muito esperto, sabe? Da parte da sua mulher, quero dizer. Mandar você fazer esta cirurgia.

— Vamos deixar a minha mulher fora desta história. Ei, Lindy, você sabe aonde isto vai dar? Por ali?

No final do aposento, onde terminavam as bancadas, três degraus subiam até uma porta verde.

— Por que não tentamos? — disse Lindy.

Abrimos a porta com tanto cuidado quanto a última, e então, durante algum tempo, fiquei totalmente desorientado. Estava tudo muito escuro e sempre que eu tentava me virar descobria que estava trombando com alguma cortina ou oleado. Lindy, que havia pegado a lanterna, parecia estar se saindo um pouco melhor na minha frente. Então cambaleei para dentro de um espaço escuro onde ela estava à minha espera, iluminando meus pés com a lanterna.

— Eu percebi — disse ela com um sussurro. — Você não gosta de falar nela. Na sua mulher, quero dizer.

— Não é bem isso — sussurrei também. — Onde estamos?

— E ela nunca vem visitar você.

— É porque nós agora não estamos exatamente juntos. Já que você quer saber.

— Ah, desculpe. Eu não quis ser curiosa.

— Não quis ser curiosa?!

— Ei, querido, olhe! Pronto! Achamos!

Ela apontava o facho para uma mesa um pouco mais afastada. Sobre a mesa havia uma toalha branca e duas redomas prateadas lado a lado.

Fui até a primeira redoma e a levantei com cuidado. Conforme previsto, debaixo dela havia um gordo peru assado. Procurei a cavidade e enfiei um dedo lá dentro.

— Não tem nada aqui — disse.

— Você tem que procurar lá no fundo. Eu empurrei bem para o fundo. Essas aves são maiores do que você pensa.

— Estou dizendo a você que não tem nada aqui dentro. Segure a lanterna aqui. Vamos tentar este outro. — Com cuidado, retirei a redoma do segundo peru.

— Sabe, Steve, eu acho que é um erro. Você não deveria ter vergonha de falar nesse assunto.

— Que assunto?
— Você e a sua mulher estarem separados.
— Eu disse que estávamos separados? Eu disse isso?
— Pensei que...
— Eu disse que não estávamos exatamente juntos. Não é a mesma coisa.
— Parece a mesma coisa...
— Bom, mas não é. É só uma coisa temporária, uma tentativa nossa. Ei, encontrei alguma coisa. Tem alguma coisa aqui dentro. Achei.
— Então por que não puxa, querido?
— O que você acha que eu estou tentando fazer?! Meu Deus! Você precisava empurrar tão lá para dentro?
— Sshh! Tem alguém lá fora!

No início, foi difícil dizer quantas pessoas havia. Então a voz chegou mais perto e percebi que era apenas um cara, falando sem parar em um telefone celular. Também percebi exatamente onde estávamos. Eu pensava que tivéssemos entrado em alguma área afastada atrás do palco, mas na verdade estávamos bem em cima do palco, e a cortina à minha frente era a única coisa que agora nos separava do salão. Então o homem do telefone começou a atravessar o salão em direção ao palco.

Sussurrei para Lindy apagar a lanterna, e tudo ficou escuro. Ela disse ao pé do meu ouvido:

Vamos sair daqui — E a ouvi saindo de fininho. Tentei novamente puxar a estatueta para fora do peru, mas agora estava com medo de fazer barulho e, além disso, meus dedos não encontravam apoio.

A voz continuou se aproximando até parecer que o cara estava bem ali na minha frente.

— ...Não é problema meu, Larry. Nós precisamos dos logotipos nesses cardápios. Não estou nem aí para como você vai fazer. Tá bom, então faça você mesmo. Certo, faça você, traga os cardápios você mesmo, não estou nem aí para como vai fazer. Eles só precisam estar aqui hoje de manhã, no máximo até as sete e meia. Precisamos desses cardápios aqui. As mesas estão boas. Tem mesas de sobra, pode acreditar em mim. Tá bom. Vou verificar isso. Tá bom, tá bom. Tá. Vou verificar isso agora mesmo.

Durante o último trecho da conversa, a voz do homem havia se deslocado para um dos lados do salão. Ele agora devia ter acendido um interruptor em alguma caixa de luz, porque uma lâmpada forte se acendeu bem em cima de mim e ouvi um ronronar parecido com o barulho de um ar-condicionado. Só que percebi que o barulho não era do ar-condicionado, e sim das cortinas se abrindo na minha frente.

Isso me aconteceu duas vezes na minha carreira quando eu estava no palco: tinha um solo para tocar, e de repente percebia que não sabia como começar, em que nota estava, como trocar de acorde. Nas duas vezes em que aconteceu, eu simplesmente congelei, como se estivesse em um still de algum filme, até um dos rapazes aparecer para me acudir. Só aconteceu duas vezes em mais de vinte anos tocando como profissional. De toda forma, foi assim que reagi à luz que se acendeu em cima de mim e às cortinas que começaram a se mexer. Simplesmente congelei. E me senti estranhamente distanciado. Senti uma espécie de leve curiosidade em relação ao que veria quando a cortina se abrisse.

O que vi foi o salão de baile, e ali de cima do palco podia ver melhor a forma como as mesas estavam dispostas, em duas linhas paralelas, até o fundo do salão. A luz que incidia sobre mim deixava o salão um pouco na sombra, mas distingui o lustre e o teto rebuscado.

O homem do celular era um cara gordo e careca que usava um terno claro e uma camisa de colarinho aberto. Devia ter se afastado da parede assim que acendeu o interruptor, porque agora estava mais ou menos ao meu lado. Tinha o telefone pressionado contra a orelha, e pela sua expressão era possível pensar que escutava com muita atenção o que estava sendo dito do outro lado. Mas imagino que não estivesse prestando tanta atenção assim, porque seus olhos estavam cravados em mim. Ele continuou a me olhar e eu continuei a olhar para ele, e essa situação poderia ter prosseguido indefinidamente se ele não houvesse dito ao telefone, talvez em resposta a uma pergunta sobre por que havia se calado:

— Está tudo bem. Está tudo bem. É um homem. — Houve um intervalo, e ele tornou a falar. — Por um instante pensei que fosse outra coisa. Mas é um homem. Com a cabeça enfaixada e de camisola. Agora estou vendo que é só isso. É que ele está segurando um frango ou coisa assim.

Endireitando o corpo, comecei instintivamente a esticar os braços para fazer o gesto de quem dá de ombros. Como ainda estava com a mão direita enfiada até o pulso dentro do peru, o simples peso da ave tornou isso impossível. Mas pelo menos eu não precisava mais me preocupar em disfarçar, então dei tudo de mim, sem me conter, no esforço de retirar tanto a mão quanto a estatueta lá de dentro. Enquanto isso, o homem continuou falando no celular.

— Não, é exatamente o que estou dizendo. E agora ele está tirando o frango. Ah, e está tirando alguma coisa lá de dentro. Ei, rapaz, que negócio é esse aí? Um jacaré?

Estas últimas palavras foram dirigidas a mim com uma fleuma admirável. Mas eu já estava com a estatueta na mão, e o peru caiu no chão com um baque. Enquanto eu corria em direção à escuridão atrás de mim, ouvi o homem dizer ao amigo:

— Como é que eu vou saber, droga? Vai ver é algum tipo de show de mágica.

* * *

Não me lembro de como voltei ao nosso andar. Ao sair do palco, novamente me perdi em uma profusão de cortinas, e então ela apareceu e me puxou pela mão. Quando percebi, já estávamos cruzando o hotel apressados, sem ligar mais para o barulho nem para quem nos visse. Em algum lugar no meio do caminho, larguei a estatueta em cima de uma bandeja de serviço de quarto em frente a uma das portas, ao lado dos restos do jantar de alguém.

De volta ao quarto de Lindy, deixamo-nos cair no sofá e rimos. Rimos até desabarmos um em cima do outro, então ela se levantou, foi até a janela e ergueu as persianas. Agora estava claro do lado de fora, embora a manhã estivesse nublada. Ela foi até o armário preparar alguma coisa para beber — "o drinque sem álcool mais sexy do mundo" — e me trouxe um copo. Pensei que fosse se sentar ao meu lado, mas voltou até a janela, tomando goles de seu próprio copo.

— Você está ansioso, Steve? — perguntou ela depois de algum tempo. — Para tirar as ataduras?

— Estou. Acho que sim.

— Na semana passada mesmo eu não estava pensando tanto nisso. Parecia tão distante... Mas agora não falta tanto.

— É verdade — falei. — Para mim também não falta muito. — Então baixei a voz e completei. — Meu Deus.

Ela tomou um gole da bebida e olhou pela janela. Então a ouvi dizer:

— Ei, querido, o que é que você tem?

— Estou bem. Só preciso dormir um pouco, só isso.

Ela continuou a olhar para mim durante algum tempo.

— Estou dizendo a você, Steve — disse ela por fim. — Vai ficar tudo bem. Boris é o melhor. Você vai ver.

— É.
— Ei, o que é que você tem? Escute, esta é a minha terceira operação. A segunda com Boris. Vai ficar tudo bem. Você vai ficar ótimo, simplesmente ótimo. E a sua carreira. Daqui em diante ela vai disparar.
— Pode ser.
— Não tem nada de pode ser! Vai fazer muita diferença, acredite em mim. Você vai aparecer nas revistas, vai aparecer na TV.
Eu não respondi nada.
— Ei, vamos lá! — Ela deu alguns passos na minha direção.
— Anime-se. Não está mais zangado comigo, está? Nós formamos uma ótima equipe lá embaixo, não acha? E vou dizer outra coisa. De agora em diante, vou continuar fazendo parte da sua equipe. Você é um verdadeiro gênio, e eu vou garantir que corra tudo bem para você.
— Não vai dar certo, Lindy. — Eu balancei a cabeça. — Não vai dar certo.
— É claro que vai. Eu vou falar com algumas pessoas. Pessoas que podem fazer muito bem a você.
Continuei balançando a cabeça.
— Obrigado. Mas não adianta. Não vai dar certo. Nunca poderia dar certo. Eu nunca deveria ter escutado o Bradley.
— Ora, vamos. Eu posso não ser mais casada com Tony, mas ainda tenho muitos bons amigos nesta cidade.
— Claro, Lindy, eu sei disso. Mas não adianta. Bradley, meu empresário, foi quem me convenceu a fazer esta coisa toda, entende? Fui um idiota por ouvir o que ele disse, mas não consegui evitar. Eu estava desesperado e então ele inventou uma teoria. Disse que a minha mulher, Helen, tinha armado este plano. Na verdade ela não havia me abandonado. Não, tudo era parte de um plano dela. Helen estava fazendo tudo isso por mim, para eu

poder fazer esta cirurgia. E, quando as ataduras fossem retiradas e eu estivesse de cara nova, ela iria voltar e tudo ficaria bem outra vez. Foi isso que o Bradley disse. Eu soube que era uma babaquice antes mesmo de ele terminar de falar, mas o que é que eu podia fazer? Pelo menos era um tipo de esperança. Bradley usou isso, usou esse sentimento, ele é assim, sabe? Ele não tem caráter. Só pensa em trabalho. E no primeiro time. Que diferença faz para ele se minha mulher voltar ou não?

Eu parei de falar e ela passou um tempão sem dizer nada. Então disse:

— Olhe aqui, querido, escute. Eu espero que a sua mulher volte. Espero mesmo. Mas se ela não voltar, bem, você simplesmente precisa começar a superar esse fato. Ela pode ser uma pessoa incrível, mas a vida é muito maior do que simplesmente amar alguém. Você precisa mostrar a cara, Steve. Alguém como você, o seu lugar não é com o público. Olhe para mim. Quando estas ataduras forem embora, será que eu vou realmente ficar com o mesmo aspecto de vinte anos atrás? Não sei. E já faz muito tempo que não fico sem marido. Mesmo assim vou mostrar a cara e tentar. — Ela se aproximou de mim e me deu um empurrãozinho no ombro. — Ei. Você está cansado, só isso. Vai se sentir bem melhor depois que dormir um pouco. Escute. Boris é o melhor. Ele vai ter ajeitado tudo para nós dois. Espere só para ver.

Pus meu copo em cima da mesa e me levantei.

— Acho que você tem razão. Como você diz, Boris é o melhor. E nós formamos *mesmo* uma boa equipe lá embaixo.

— Formamos uma *ótima* equipe lá embaixo.

Estiquei os braços, pus as mãos em seus ombros e então beijei cada uma de suas bochechas cobertas de ataduras.

— Durma bem — eu disse. — Eu volto logo para jogarmos mais xadrez.

* * *

Depois daquela manhã, porém, não nos vimos muito mais. Quando pensei a respeito, depois, ocorreu-me que algumas coisas tinham sido ditas no decorrer daquela noite, coisas pelas quais eu deveria ter pedido desculpas, ou pelo menos tentado explicar. Mas na hora, depois de voltarmos para o quarto dela e de rirmos no sofá, não parecera necessário ou sequer correto tornar a mencionar tudo isso. Quando nos separamos naquela manhã, pensei que estivéssemos muito além desse estágio. Mesmo assim, eu tinha visto como Lindy podia mudar. Talvez mais tarde ela tivesse pensado no ocorrido e ficado brava de novo comigo. Quem pode saber? De toda forma, embora eu tenha esperado um telefonema seu mais tarde nesse dia, ela não telefonou, tampouco telefonou no dia seguinte. Em vez disso, fiquei escutando discos de Tony Gardner tocarem do outro lado da parede, no volume máximo, um depois do outro.

Quando finalmente fui até lá, uns quatro dias depois, ela se mostrou receptiva, mas distante. Como naquela primeira vez, falou muito sobre seus amigos famosos — embora não tenha dito nada sobre fazer com que ajudassem na minha carreira. Mesmo assim, não me importei. Tentamos jogar xadrez, mas o telefone dela não parava de tocar e ela entrava no quarto para falar.

Então, duas noites atrás, ela bateu na minha porta e disse que estava indo embora do hotel. Boris estava satisfeito com a sua recuperação e havia concordado em deixá-la tirar as ataduras em casa. Nós nos despedimos de maneira amigável, mas era como se a nossa verdadeira despedida já tivesse acontecido naquela manhã logo depois da nossa aventura, quando eu havia estendido as mãos e lhe dado um beijo em cada bochecha.

Então essa é a história do período em que fui vizinho de Lindy Gardner. Desejo a ela boa sorte. Quanto a mim, ainda faltam seis dias para meu novo rosto ser revelado, e muito mais tempo ainda para eu poder tocar saxofone. Mas agora já estou acostumado com esta vida e passo as horas em um estado de razoável contentamento. Ontem recebi um telefonema de Helen perguntando como eu estava, e quando lhe contei que havia conhecido Lindy Gardner ela ficou muito impressionada.

— Ela não se casou de novo? — perguntou. E, quando eu lhe respondi que não, arrematou: — Ah, é. Eu devo ter confundido com aquela outra. Você sabe. Qual é mesmo o nome dela?

Conversamos sobre várias coisas sem importância — o que ela vira na TV, como uma amiga fora visitá-la levando seu bebê. Então ela disse que Prendergast queria saber como eu estava e, quando disse isso, houve uma contração perceptível em sua voz. E eu quase falei: "Ei... Por acaso estou detectando um tom de irritação associado ao nome do namoradinho?". Mas não disse nada. Disse-lhe apenas para cumprimentá-lo por mim, e ela não voltou a mencioná-lo. De toda forma, eu provavelmente havia imaginado aquilo. Ela poderia muito bem estar apenas me lançando uma indireta para que eu dissesse quanto estava agradecido a ele.

Quando ela estava quase desligando, eu disse "Eu te amo" daquele jeito rápido, rotineiro que se usa no final de uma conversa ao telefone com um cônjuge. Houve um silêncio de alguns segundos, e então ela disse a mesma coisa, do mesmo jeito rotineiro. Depois desligou. Só Deus sabe o que isso significou. Acho que não há nada a fazer agora a não ser esperar estas ataduras irem embora. E depois? Talvez Lindy tenha razão. Talvez, como ela diz, eu precise superar essa história, e a vida realmente seja muito maior do que amar uma pessoa. Talvez este seja mesmo um momento decisivo para mim, e o primeiro time esteja à minha espera. Talvez ela tenha razão.

Celistas

Era a terceira vez que tocávamos o tema de *O poderoso chefão* desde a hora do almoço, então eu estava olhando em volta para os turistas sentados na *piazza* para ver quantos poderiam ter estado ali na última vez em que o tínhamos tocado. As pessoas não se importam em escutar mais de uma vez uma música preferida, mas isso não pode acontecer com demasiada frequência, senão elas começam a desconfiar que você não tem um repertório decente. Nessa época do ano, repetir músicas geralmente não é um problema. Os primeiros sinais do vento outonal e o preço absurdo de um café garantem uma rotatividade de clientes bastante grande. Mas, enfim, era por isso que eu estava estudando os rostos pela *piazza*, e foi assim que vi Tibor.

Ele agitava o braço, e no início pensei que estivesse acenando para nós, mas depois percebi que estava tentando chamar um garçom. Parecia mais velho e tinha engordado um pouco, mas não foi difícil reconhecê-lo. Fiz um discreto movimento de cabeça para Fabian, que tocava acordeão bem ao meu lado, e indiquei o rapaz, embora não pudesse tirar nenhuma das duas mãos do saxofone naquele momento para apontá-lo direito. Foi então que percebi, olhando para a banda à minha volta, que, com exceção de mim mesmo e Fabian, não sobrava mais ninguém da formação do verão em que tínhamos conhecido Tibor.

Tudo bem, isso já faz sete anos, mas mesmo assim foi um choque. Quando se toca junto desse jeito, todos os dias, você começa a pensar na banda como uma espécie de família, e nos outros integrantes como seus irmãos. E, mesmo que de vez em quando alguém vá embora, você quer pensar que essa pessoa sempre manterá contato, enviando postais de Veneza, Londres ou de qualquer outro lugar para onde tenha ido, ou quem sabe uma polaroide da banda com a qual está tocando agora — do mesmo jeito que escreveria para o seu vilarejo natal. Então um momento assim funciona como um desagradável lembrete de como as coisas mudam depressa. Como os amigos do peito de hoje se transformam amanhã em estranhos perdidos, espalhados pela Europa, tocando a música-tema de *O poderoso chefão* ou "Autumn Leaves" em praças e cafés que você nunca vai visitar.

Quando terminamos nosso número, Fabian me lançou um olhar contrariado, irritado por eu tê-lo interrompido durante o seu "trecho especial" — não era um solo propriamente dito, mas era um daqueles raros momentos em que o violino e a clarineta silenciam e eu só fico tocando algumas notas baixinho, ao fundo, enquanto ele segura a melodia com seu acordeão. Quando tentei explicar apontando para Tibor, que agora mexia seu café debaixo de um guarda-sol, Fabian pareceu ter dificuldade para se lembrar dele. No final, acabou dizendo:

—Ah, sim, o menino do violoncelo. Será que ele ainda está com aquela americana?

— Claro que não — falei. — Não se lembra? Tudo terminou naquela época mesmo.

Fabian deu de ombros, agora com a atenção voltada para sua partitura, e então começamos nosso número seguinte.

Fiquei decepcionado por Fabian não demonstrar mais interesse, porém imagino que ele nunca tenha sido uma das pessoas mais particularmente interessadas no jovem violoncelista. Fabian só tocou em bares e cafés a vida inteira, entendem? Não é como Giancarlo, nosso violinista da época, ou Ernesto, que tocava baixo conosco. Esses dois tinham tido uma formação específica, então para eles alguém como Tibor era sempre fascinante. Talvez houvesse ali uma pontinha de inveja — da educação musical refinada de Tibor, do fato de ele ainda ter o futuro pela frente. Para ser sincero, porém, acho que era só porque eles gostavam de pegar os Tibors deste mundo e pô-los debaixo da asa, cuidar deles um pouco e talvez prepará-los para o futuro de modo que, quando as decepções chegassem, elas não fossem tão difíceis de suportar.

Naquele verão, sete anos antes, tinha feito especialmente calor, e mesmo nesta nossa cidade havia ocasiões em que se parecia estar à beira do Adriático. Tocávamos ao ar livre por mais de quatro meses — debaixo do toldo do café, de frente para *piazza* e todas as mesas —, e eu posso lhes dizer que esse é um trabalho muito calorento, mesmo com dois ou três ventiladores elétricos ligados. Mas o calor fazia a temporada ser boa e muitos turistas passavam por lá, vários da Alemanha e da Áustria, bem como alguns turistas domésticos fugindo do calor das praias mais ao sul. E aquele foi o verão em que pela primeira vez começamos a perceber a presença de russos. Hoje em dia ninguém mais repara nos turistas russos, eles se parecem com todos os outros. Mas naquela época ainda eram raros o suficiente para fazer você parar e olhar. Usavam roupas esquisitas e caminhavam como crianças que acabaram de mudar de escola. Na primeira vez em que vimos Tibor, estávamos no intervalo entre duas apresentações, bebendo alguma coisa na grande mesa que o café sempre nos reservava. Ele estava sentado por perto e não parava de se levantar e reposicionar o estojo do violoncelo para mantê-lo na sombra.

— Olhem só aquele ali — disse Giancarlo. — Um estudante de música russo sem dinheiro. E o que é que ele resolve fazer? Gastar o que tem nos cafés da praça principal.

— Deve ser um idiota — disse Ernesto. — Mas um idiota romântico. Passa fome feliz, contanto que possa ficar a tarde inteira sentado aqui na nossa praça.

Ele era magro, tinha cabelos castanho-claros e usava uns óculos fora de moda — uma armação imensa que o deixava parecido com um panda. Vinha todos os dias, e não me lembro exatamente como isso aconteceu, mas, depois de algum tempo, começamos a nos sentar e a conversar com ele entre as apresentações. E às vezes, quando ele aparecia no café durante nossa sessão noturna, nós o chamávamos depois de tocar para quem sabe lhe oferecer um pouco de vinho e alguns *crostini*.

Logo descobrimos que Tibor era húngaro, não russo; que era provavelmente mais velho do que parecia, porque já tinha estudado na Real Academia de Música de Londres, e depois passado dois anos em Viena tendo aulas com Oleg Petrovic. Após um começo atribulado com o velho mestre, tinha aprendido a lidar com aqueles legendários acessos de mau humor e saíra de Viena muito confiante — e com uma série de apresentações marcadas em casas prestigiosas, mesmo que pequenas, Europa afora. Mas então as apresentações começaram a ser canceladas por falta de público; ele fora forçado a tocar músicas que detestava; as acomodações haviam se revelado caras ou sórdidas.

Assim, o bem organizado Festival de Arte e Cultura da nossa cidade — que era o que o fizera ir até lá naquele verão — foi uma injeção de energia muito bem-vinda, e, quando um velho amigo da Real Academia lhe ofereceu um apartamento grátis perto do canal durante o verão, ele aceitou sem hesitar. Disse-

-nos que estava gostando da nossa cidade, mas que o dinheiro era sempre um problema e, embora ele fizesse recitais de vez em quando, agora estava tendo que refletir muito bem sobre qual seria seu próximo passo. Foi depois de escutar essas preocupações por algum tempo que Giancarlo e Ernesto decidiram que deveríamos tentar fazer alguma coisa para ajudá-lo. E foi assim que Tibor conheceu o sr. Kaufmann, de Amsterdã, parente distante de Giancarlo que tinha contatos no mundo da hotelaria.

Lembro-me muito bem dessa noite. O verão ainda estava no início, e o sr. Kaufmann, Giancarlo, Ernesto e todos nós estávamos sentados no salão dos fundos do café, ouvindo Tibor tocar seu violoncelo. O rapaz deve ter percebido que aquilo era um teste para o sr. Kaufmann, então hoje é interessante lembrar como ele se mostrou disposto a tocar nessa noite. Estava evidentemente grato a nós, e dava para ver que ficou satisfeito quando o sr. Kaufmann prometeu fazer o que pudesse por ele quando voltasse a Amsterdã. Quando as pessoas dizem que durante aquele verão Tibor mudou para pior, que deixou a ambição lhe subir à cabeça, que isso tudo era por causa da americana, bem, talvez haja algum fundo de verdade nisso.

Tibor havia reparado na mulher enquanto bebericava seu primeiro café do dia. Nessa hora, a *piazza* estava fresca e agradável — o lado onde fica o café permanece na sombra a maior parte da manhã —, e as pedras do calçamento ainda estavam molhadas por causa das mangueiras dos funcionários municipais. Não tendo tomado café da manhã, ele ficara olhando com inveja para a mesa ao lado enquanto ela pedia uma série de sucos de frutas mistos e em seguida — aparentemente por capricho, pois ainda não passava das dez — uma tigela de mariscos no vapor. Teve a vaga impressão de que a mulher, por sua vez, também lançava olhares na sua direção, mas não deu muita importância a isso.

— A mulher tinha um aspecto muito agradável, era até bonita — contou-nos ele na época. — Mas ela é quinze anos mais velha do que eu, entendem? Então por que é que eu iria pensar que estava acontecendo alguma coisa?

Ele havia se esquecido da mulher e se preparava para voltar ao quarto e ali passar uma ou duas horas ensaiando antes de seu vizinho chegar e ligar o rádio, quando de repente a mulher surgiu em pé na sua frente.

Estava sorrindo, um sorriso largo e radiante, e tudo na atitude dela sugeria que os dois já se conheciam. Na verdade, foi apenas sua timidez natural que o impediu de cumprimentá-la. Ela então pôs uma das mãos em seu ombro, como se ele houvesse fracassado em algum teste mas estivesse sendo perdoado mesmo assim, e disse:

— Eu assisti ao seu recital no outro dia. Em San Lorenzo.

— Obrigado — disse ele, e na mesma hora percebeu como isso poderia soar tolo. Então, quando a mulher simplesmente continuou lhe sorrindo daquele jeito radiante, ele tornou a falar. — Ah, sim, na igreja de San Lorenzo. Isso mesmo. Eu dei mesmo um recital nessa igreja.

A mulher riu, e repentinamente se sentou na cadeira à sua frente.

— Você diz isso como se tivesse tido uma grande série de apresentações ultimamente — disse ela com um viés zombeteiro na voz.

— Então dei uma impressão errada. O recital ao qual a senhora assistiu foi meu único em dois meses.

— Mas você está só começando — disse ela. — Só o fato de conseguir se apresentar já é ótimo. E no outro dia o público foi bom.

— Bom? Tinha só vinte e quatro pessoas.
— Era de tarde. O público foi bom para um recital vespertino.
— Eu não deveria reclamar. Mas aquele público não foi bom. Só turistas que não tinham nada melhor para fazer.
— Ah! Você não deveria desprezar o público tanto assim. Afinal de contas, eu estava lá. Eu era um daqueles turistas. — Então, enquanto ele começava a enrubescer, pois não tivera a intenção de ofendê-la, ela tocou seu braço e tornou a falar, com um sorriso. — Você está só começando. Não se preocupe com o tamanho do público. Não é por isso que você está se apresentando.
— Ah, é? Então por que é que eu estou me apresentando, se não for para o público?
— Não foi isso que eu disse. O que estou dizendo é que, neste estágio da sua carreira, um público de vinte ou duzentas pessoas não faz diferença. Será que devo dizer por que não? Porque você tem o que é necessário!
— Tenho?
— Tem. Com certeza. Você tem... *potencial*.
Ele abafou uma risada brusca que lhe veio aos lábios. Sentiu mais reprovação em relação a si mesmo do que a ela, pois esperava que ela dissesse "genialidade" ou no mínimo "talento", e imediatamente se deu conta do quanto havia se enganado ao esperar esse tipo de comentário. Mas a mulher continuou a falar:
— Neste estágio, o que você está fazendo é esperando aquela pessoa especial aparecer para escutar a sua música. E essa pessoa especial pode muito bem estar em uma sala como aquela de terça-feira, no meio de um público de apenas vinte pessoas...
— Vinte e quatro, sem contar os organizadores...
— Vinte e quatro, que sejam. O que estou dizendo é que a quantidade agora não importa. O que importa é essa pessoa especial.

— A senhora está se referindo ao homem da gravadora?
— Gravadora? Ah, não, não. Isso vai acontecer no momento certo. Não, estou falando da pessoa que fará você desabrochar. Aquela que vai ouvir a sua música e perceber que você não é só mais um músico medíocre e bem treinado. Perceber que, mesmo que você ainda esteja dentro do casulo, basta um pouquinho de ajuda para se transformar em borboleta.
— Entendo. E por acaso essa pessoa poderia ser a senhora?
— Ah, por favor! Dá para ver que você é um rapaz orgulhoso. Mas não me parece ter muitos mentores disputando a sua atenção. Pelo menos não do meu nível.

Ocorreu-lhe então que estava cometendo um engano colossal, e ele examinou com atenção os traços da mulher. Ela havia tirado os óculos de sol e ele pôde ver um rosto basicamente bondoso e gentil, embora irritação e talvez raiva não estivessem muito longe dali. Continuou a olhar para ela, torcendo para reconhecê-la logo, mas no final foi obrigado a dizer:

— Sinto muito. Talvez a senhora seja uma musicista de renome?

— Sou Eloise McCormack — anunciou ela com um sorriso, estendendo a mão. Infelizmente, o nome não significou nada para Tibor, e ele se viu encalacrado. Seu primeiro instinto foi fingir surpresa, e ele de fato disse:

— É mesmo? Que incrível. — Depois se controlou, percebendo que esse tipo de blefe não apenas era desonesto mas tinha probabilidade de conduzir em poucos segundos a uma revelação constrangedora. Então se endireitou na cadeira e continuou.

— Senhorita McCormack, é uma honra conhecê-la. Sei que isso vai parecer inacreditável, mas peço que leve em conta tanto a minha pouca idade quanto o fato de eu ter sido criado no antigo bloco do Leste, atrás da Cortina de Ferro. Muitas estrelas de cinema e personalidades políticas são nomes conhecidos no Ocidente, mas eu até hoje nunca ouvi falar nelas. Então me perdoe se eu não souber exatamente quem a senhorita é.

— Bem... sua franqueza é louvável. — Apesar dessas palavras, ela estava evidentemente ofendida, e sua animação pareceu se esvair. Depois de alguns instantes embaraçosos, ele tornou a dizer:

— A senhorita é uma musicista de renome, não é?

Ela assentiu, e seu olhar se perdeu em direção à praça.

— Novamente devo pedir desculpas — disse ele. — De fato foi uma honra ter alguém como a senhorita assistindo ao meu recital. E posso perguntar que instrumento a senhorita toca?

— O mesmo que você — disse ela depressa. — Violoncelo. Por isso fui assistir ao recital. Mesmo sendo um recital modesto como o seu, não consigo resistir. Não consigo deixar de ir. Acho que para mim é uma espécie de missão.

— Missão?

— Não sei que outra palavra usar. Eu quero que os celistas toquem bem. Quero que toquem lindamente. Eles muitas vezes tocam de forma equivocada.

— Me desculpe, mas os celistas são os únicos responsáveis por essas execuções equivocadas? Ou a senhorita está se referindo aos músicos em geral?

— Talvez isso também aconteça com os outros instrumentos. Mas eu sou celista, então escuto outros celistas, e quando escuto alguma coisa dando errado... Sabe, no outro dia vi alguns jovens músicos tocando no saguão do Museo Civico, e as pessoas simplesmente passavam correndo por eles, mas eu tive de parar para escutar. E por um triz não fui até lá falar com eles, sabe?

— Eles estavam cometendo erros?

— Não erros exatamente. Mas... bem, apenas não estava bom. Não estava nada bom. Mas a verdade é que eu exijo demais. Sei que não deveria esperar todo mundo alcançar o nível que eu exijo de mim mesma. Acho que eles eram apenas estudantes de música.

Ela se recostou na cadeira pela primeira vez e olhou para um grupo de crianças perto do chafariz central molhando ruidosamente umas às outras. Depois de alguns instantes, Tibor disse:

— Talvez a senhorita tenha sentido esse mesmo impulso na terça-feira. O impulso de ir falar comigo e me fazer sugestões.

Ela sorriu, mas no instante seguinte seu rosto ficou muito sério.

— Senti — disse ela. — Senti, sim. Porque quando ouvi você acabei ouvindo o jeito como eu própria costumava tocar. Me perdoe, isto vai parecer muito grosseiro. Mas a verdade é que você não está no caminho certo. E, quando eu escutei você, tive muita vontade de ajudá-lo a encontrar esse caminho. E logo.

— Devo dizer que tive aulas com Oleg Petrovic. — Tibor fez essa afirmação com voz neutra e esperou a resposta dela. Para sua surpresa, viu-a tentando reprimir um sorriso.

— Petrovic, sim — disse ela. — Petrovic foi um músico muito respeitável na sua época. E sei que para os alunos ele ainda pode parecer um personagem impressionante. Mas agora, para muitos de nós, suas ideias, toda a sua abordagem... — Ela balançou a cabeça e estendeu as mãos. Então, enquanto Tibor continuava a encará-la, subitamente mudo de fúria, ela tornou a encostar a mão em seu braço. — Eu já falei demais. Não tenho esse direito. Vou deixar você em paz.

Ela se levantou, e essa ação aliviou a raiva dele; Tibor tinha um temperamento generoso, e permanecer zangado com os outros por muito tempo não fazia parte da sua índole. Além do mais, aquilo que a mulher acabara de dizer sobre seu antigo professor havia feito vibrar um acorde desconfortável dentro dele — pensamentos que ele não tinha se atrevido a expressar totalmente nem para si mesmo. Quando ergueu os olhos para ela, portanto, sua expressão parecia mais confusa do que qualquer outra coisa.

— Olhe aqui — disse ela —, você agora provavelmente está bravo demais comigo para pensar no assunto. Mas eu gostaria de ajudá-lo. Se você quiser conversar, estou hospedada ali. No Excelsior.

Esse hotel, o mais luxuoso da nossa cidade, fica na praça, do lado oposto do café, e ela então apontou o prédio para Tibor, sorriu e começou a andar naquela direção. Ele ainda a observava quando ela se virou de repente junto ao chafariz central, assustando uns pombos, acenou para ele e seguiu seu caminho.

Durante os dois dias seguintes, ele se pegou pensando várias vezes nesse encontro. Viu novamente o sorriso de ironia no rosto dela ao ouvi-lo enunciar com tanto orgulho o nome de Petrovic, e sentiu a raiva brotar mais uma vez. Pensando bem, contudo, podia ver que na verdade não tinha ficado com raiva por causa do antigo professor. A verdade é que ele havia mais ou menos se acostumado à ideia de que o nome de Petrovic sempre fosse produzir um certo impacto, de que era infalível para suscitar atenção e respeito; em outras palavras, ele havia passado a depender desse nome como de uma espécie de certificado que podia exibir mundo afora. O que o deixara tão perturbado era a possibilidade de esse certificado não ter nem de longe o peso que supunha.

Ele também não parava de se lembrar do convite que ela fizera ao se despedir e, durante aquelas horas que passou sentado na praça, pegou-se olhando involuntariamente para o outro lado e para a entrada imponente do Hotel Excelsior, onde um fluxo constante de táxis e limusines parava em frente ao porteiro.

Por fim, no terceiro dia depois de sua conversa com Eloise McCormack, ele atravessou a *piazza*, entrou no saguão de mármore e pediu à recepção para ligar para o quarto dela. O recepcionista falou algumas palavras ao telefone, perguntou seu nome e, depois de um diálogo curto, passou-lhe o aparelho.

— Eu sinto muitíssimo — ele ouviu a voz dela dizer. — Esqueci de perguntar seu nome no outro dia e levei algum tempo para entender quem você era. Mas é claro que não me esqueci de você. Na verdade, tenho pensado muito em você. Há muitas coisas sobre as quais eu gostaria que conversássemos. Mas temos que fazer isso do jeito certo, sabe? Você está com seu violoncelo? Não, é claro que não. Por que não volta daqui a uma hora, daqui a exatamente uma hora, dessa vez trazendo seu violoncelo? Vou estar esperando por você.

Quando ele voltou ao Excelsior com seu instrumento, o recepcionista lhe indicou imediatamente os elevadores e lhe disse que a srta. McCormack o aguardava.

A ideia de entrar no quarto dela, no meio da tarde, havia lhe parecido estranhamente íntima, e ele ficou aliviado ao adentrar uma grande suíte, com o quarto de dormir completamente fora de seu campo de visão. As grandes janelas à francesa tinham venezianas de madeira que por ora estavam abertas, fazendo as cortinas de renda balançarem na brisa, e ele pôde ver que, se saísse à varanda, teria uma vista da praça. O cômodo, com paredes ásperas de pedra e piso escuro de madeira, tinha um aspecto quase monástico, suavizado apenas parcialmente pelas flores, almofadas e móveis antigos. Em contraste com tudo isso, ela vestia uma camiseta, uma calça esportiva e calçava tênis, como se houvesse acabado de chegar de uma corrida. Recebeu-o com pouca cerimônia — sem oferecer café nem chá — e disse:

— Toque para mim. Toque alguma coisa que tocou no seu recital.

Ela havia apontado para uma cadeira encerada de espaldar reto cuidadosamente posicionada no centro do cômodo, então ele se sentou ali e tirou seu violoncelo do estojo. De forma um tanto desconcertante, ela foi se sentar em frente a uma das janelas altas, de modo que ele a via quase de perfil, e ficou olhando para o espaço à sua frente durante todo o tempo que ele passou afinando o instrumento. Não alterou a postura quando ele começou a tocar e ao final da primeira música não disse nenhuma palavra. Então rapidamente ele começou a tocar outra música, e depois outra. Meia hora se passou, depois uma hora inteira. E algo relacionado à penumbra do cômodo e à sua acústica austera, ao sol da tarde filtrado pelas cortinas de renda ondulantes, ao burburinho de fundo que subia da *piazza* e, acima de tudo, à presença dela arrancou dele notas que continham novos matizes, novas sugestões. Por volta do final da primeira hora, ele já estava convencido de que havia mais do que correspondido à expectativa dela, mas, quando terminou a última música e os dois passaram vários minutos sentados em silêncio, ela enfim se virou na cadeira em direção a ele e disse:

— É, entendo exatamente em que ponto você está. Não vai ser fácil, mas você vai conseguir. Com certeza vai conseguir. Vamos começar com o Britten. Toque outra vez, só o primeiro movimento, e depois vamos conversar. Podemos fazer isso juntos, aos poucos.

Ao ouvir isso, ele teve o impulso de simplesmente guardar seu instrumento e ir embora. Mas então algum outro instinto — talvez a simples curiosidade, talvez algo mais profundo — suplantou seu orgulho e o impeliu a tocar de novo a peça que ela havia pedido. Quando, depois de vários compassos, ela o deteve e começou a falar, ele teve outra vez o impulso de ir embora. Por educação, decidiu suportar aquelas instruções não solicitadas por pelo menos mais cinco minutos. No entanto, pegou-se ficando mais um pouco, depois ainda mais um pouco. Tocou um pouco mais, ela tornou a falar. No início, as palavras dela sempre lhe pareciam pretensiosas e excessivamente abstratas, mas, quando ele tentava incorporar seu vigor ao que estava tocando, ficava surpreso com o efeito. Antes de perceber, mais uma hora já havia transcorrido.

— De repente, eu consegui ver uma coisa — explicou-nos ele. — Um jardim no qual ainda não havia entrado. Ali estava ele, ao longe. Havia coisas no caminho. Mas, pela primeira vez, ali estava ele. Um jardim que eu nunca tinha visto antes.

O sol já havia quase se posto quando ele finalmente saiu do hotel, atravessou a *piazza* até as mesas dos cafés e se deu ao luxo de comer um bolo de amêndoas com chantili, mal conseguindo conter o próprio arrebatamento.

Por vários dias depois disso, ele voltou ao hotel dela todas as tardes, e sempre saía, se não com a mesma sensação de revelação da primeira visita, no mínimo tomado por uma energia e esperança renovadas. Os comentários dela foram ficando mais ousados, e para alguém de fora, se esse alguém existisse, poderiam ter parecido presunçosos, mas Tibor não conseguia mais pensar nas intervenções dela nesses termos. Seu medo agora era que a visita dela à cidade chegasse ao fim, e esse pensamento passou a assombrá-lo, perturbando seu sono e lançando uma sombra enquanto ele saía do hotel para a praça depois de mais uma estimulante sessão. Porém, sempre que abordava essa questão com ela de forma hesitante, as respostas eram vagas e nada reconfortantes. "Ah, só até ficar frio demais para mim", ela respondeu certa vez. Ou ainda: "Acho que, enquanto isto aqui não me entediar, eu vou ficando".

— Mas como ela é? — nós não parávamos de perguntar a ele. — No violoncelo. Como ela é?

Na primeira vez em que fizemos essa pergunta, Tibor não respondeu direito, dizendo apenas algo como: "Ela me disse desde o começo que era uma virtuose", e depois mudou de assunto. Quando percebeu que não iríamos desistir, porém, deu um suspiro e começou a nos explicar.

A verdade era que, desde aquela primeira sessão, Tibor tinha ficado curioso para ouvi-la tocar, mas intimidado demais para lhe pedir que o fizesse. Sentira apenas uma leve pontada de desconfiança quando, ao olhar em volta do quarto, não vira nem sinal do seu violoncelo. Ainda assim, era perfeitamente natural ela não levar um violoncelo consigo nas férias. Além do mais, era possível haver um instrumento — talvez alugado — no quarto de dormir, atrás da porta fechada.

No entanto, à medida que ele voltava à suíte dela para mais sessões, a desconfiança ia aumentando. Ele se esforçara para tirar isso da cabeça, pois, a essa altura, não tinha mais reservas em relação àqueles encontros. O simples fato de ela o escutar parecia extrair novas camadas de sua imaginação, e nos intervalos entre essas sessões vespertinas ele muitas vezes se pegava preparando mentalmente alguma peça, antecipando os comentários dela, seu sacudir de cabeça, seu franzir de cenho, o meneio afirmador e, o mais gratificante de tudo, aquelas ocasiões em que ela se deixava levar por algum trecho que ele estivesse tocando, em que seus olhos se fechavam e suas mãos quase involuntariamente começavam a imitar os movimentos que ele fazia. Mesmo assim, a desconfiança não ia embora, e então, certo dia, ele chegou à suíte e viu que a porta do quarto de dormir tinha sido deixada entreaberta. Pôde ver outras paredes de pedra, o que parecia ser uma cama de baldaquino medieval, mas nem sinal de um violoncelo. Será que uma virtuose, mesmo de férias, passaria tanto tempo sem tocar seu instrumento? Mas ele afastou da mente também essa pergunta.

* * *

Conforme o verão ia passando, os dois começaram a prolongar suas conversas indo juntos ao café depois das sessões, e ela lhe pagava cafés, bolos, às vezes um sanduíche. Agora a conversa deles já não era só sobre música — embora tudo sempre parecesse conduzir de volta a esse assunto. Por exemplo, ela podia lhe perguntar sobre a garota alemã de quem ele tinha sido próximo em Viena.

— Mas a senhorita precisa entender que ela nunca foi minha namorada — dizia-lhe ele. — Nunca foi assim entre nós.

— Está querendo dizer que vocês dois nunca foram fisicamente íntimos? Isso não significa que você não estivesse apaixonado por ela.

— Não, senhorita Eloise, não é assim. Eu gostava dela, com certeza. Mas não estávamos apaixonados.

— Mas quando você tocou o Rachmaninov ontem para mim estava recordando alguma emoção. Era amor, amor romântico.

— Não, isso é absurdo. Ela era uma grande amiga, mas nós não nos amávamos.

— Mas você toca aquele trecho como se ele fosse a *lembrança* do amor. Você é muito jovem e mesmo assim conhece a deserção, o abandono. É por isso que toca o terceiro movimento daquela forma. A maioria dos violoncelistas toca com alegria. Mas para você ali não existe alegria, e sim a lembrança de um momento alegre que se foi para sempre.

Tinham conversas desse tipo, e ele muitas vezes ficava tentado a questioná-la também. No entanto, assim como nunca se atrevera a fazer uma pergunta pessoal a Petrovic durante todo o tempo em que havia estudado com ele, sentia-se incapaz de perguntar qualquer coisa importante a respeito dela. Em vez disso, abocanhava as pequenas informações que ela deixava escapar

— como agora vivia em Portland, no Oregon, como havia se mudado de Boston para lá três anos antes, como Paris lhe desagradava "por causa de suas lembranças tristes" —, sem se atrever a lhe pedir mais detalhes.

Ela agora ria com muito mais facilidade do que nos primeiros dias da amizade deles, e desenvolveu o hábito de lhe dar o braço quando saíam do Excelsior e atravessavam a *piazza*. Foi nesse momento que começamos a prestar atenção nos dois, um casal curioso, ele parecendo muito mais jovem do que realmente era, e ela com um aspecto de certo modo maternal, mas sob outros aspectos "igual a uma atriz insinuante", como dizia Ernesto. Antes de começarmos a conversar com Tibor, costumávamos jogar muita conversa fora sobre os dois, como muitas vezes acontece com os componentes de uma banda. Se eles passassem por nós de braços dados, nós nos entreolhávamos e dizíamos: "O que acham? Eles transaram, não?". No entanto, depois de saborear a especulação, nós dávamos de ombros e reconhecíamos que isso era improvável: eles simplesmente não pareciam amantes. E depois que conhecemos Tibor e ele nos contou sobre aquelas tardes na suíte do hotel, não ocorreu a nenhum de nós provocá-lo ou fazer qualquer insinuação engraçadinha.

Então, certa tarde, quando os dois estavam sentados na praça tomando café com bolo, ela começou a falar sobre um homem que queria se casar com ela. Seu nome era Peter Henderson, e ele tinha uma bem-sucedida empresa de venda de equipamentos de golfe no Oregon. Era inteligente, gentil, respeitado pela comunidade. Era seis anos mais velho que Eloise, mas não chegava a ser velho. Tinha dois filhos pequenos do primeiro casamento, e a separação fora amigável.

— Então agora você sabe o que estou fazendo aqui — disse ela, com um riso nervoso que ele nunca a ouvira dar antes. — Estou me escondendo. Peter não faz ideia de onde estou. Acho que é crueldade minha. Eu liguei para ele na quinta-feira passada e falei que estava na Itália, mas não disse em que cidade. Ele ficou bravo comigo, e acho que tem o direito de ficar.

— Então — disse Tibor — a senhorita está passando o verão pensando no futuro?

— Na verdade, não. Estou apenas me escondendo.

— A senhorita não ama esse Peter?

Ela deu de ombros.

— Ele é um homem bom. E eu não tenho tido muitas outras ofertas.

— Esse Peter. Ele é um amante da música?

— Ah... Onde eu moro agora ele certamente seria considerado um. Afinal de contas, ele assiste a concertos. E depois, no restaurante, diz várias coisas agradáveis sobre o que acabou de ouvir. Então acho que ele é um amante da música.

— Mas ele... gosta da senhorita?

— Ele sabe que nem sempre vai ser fácil morar com uma virtuose. — Ela deu um suspiro. — Esse foi o meu problema a vida toda. Tampouco vai ser fácil para você. Mas você e eu na verdade não temos escolha. Temos o nosso caminho a seguir.

Ela não voltou a mencionar Peter, mas, depois dessa conversa, uma nova dimensão se abriu no relacionamento deles. Quando ela passava aqueles instantes silenciosos pensando depois de ele terminar de tocar, ou quando, sentados juntos na *piazza*, tornava-se distante, olhando para além dos guarda-sóis em volta, não havia nisso nada de desconfortável e, longe de se sentir ignorado, ele sabia que a sua presença ali ao seu lado era apreciada.

Certa tarde, quando ele havia terminado de tocar uma peça, ela lhe pediu que tocasse de novo um trecho curto — apenas oito compassos — próximo do fim. Ele fez o que ela pediu, e notou o pequeno vinco continuar a franzir a testa dela.

— Isso não está soando como nós dois — disse ela, balançando a cabeça. Como de costume, estava sentada de perfil para ele em frente às janelas altas. — O que você tocou antes estava bom. Tudo aquilo *era* nós dois. Mas esse trecho aí... — Ela estremeceu de leve.

Ele voltou a tocar, de forma diferente, embora sem ter nenhuma certeza de onde queria chegar, e não se surpreendeu ao vê-la sacudir novamente a cabeça.

— Desculpe — disse ele. — A senhorita precisa se expressar com mais clareza. Não estou entendendo esse "não está soando como nós".

— Você está querendo dizer que deseja que eu mesma toque? É isso que está dizendo?

Ela havia falado com calma, mas então se virou de frente para ele, e ele teve consciência de uma tensão recaindo sobre os dois. Ela o fitava com um olhar firme, quase desafiador, à espera da sua resposta.

Por fim, ele disse:

— Não, eu vou tentar de novo.

— Mas você está se perguntando por que simplesmente eu mesma não toco, não está? Por que não pego seu instrumento e demonstro o que estou querendo dizer.

— Não... — Ele sacudiu a cabeça com o que torceu para parecer um ar casual. — Não, eu acho que está funcionando bem, isso que sempre fizemos. A senhorita sugere e eu toco. Assim não é como se eu estivesse copiando, copiando, copiando. As suas palavras abrem janelas para mim. Se a senhorita mesma tocasse, as janelas não iriam se abrir. Eu só faria copiar.

Ela pensou sobre isso, então disse:

— Você provavelmente tem razão. Tudo bem, vou tentar me expressar um pouco melhor.

E ela passou os minutos seguintes falando — falando sobre a distinção entre epílogos e transições. Então, quando ele voltou a tocar os mesmos compassos, ela sorriu e aquiesceu com ar de aprovação.

No entanto, a partir desse pequeno diálogo, alguma coisa sombria havia adentrado as suas tardes. Talvez sempre houvesse estado ali, mas agora fora exposta e pairava entre eles. Em outra ocasião, quando estavam sentados na *piazza*, ele lhe contou a história de como o antigo dono do seu violoncelo o havia conseguido na época da União Soviética trocando várias calças jeans americanas. Quando terminou a história, ela o olhou com um meio sorriso curioso e disse:

— É um bom instrumento. Tem uma bela voz. Mas, como eu nunca sequer toquei nele, não posso realmente avaliar.

Ele então percebeu que ela estava avançando outra vez rumo àquele terreno, e desviou rapidamente os olhos dizendo:

— Para alguém do seu nível, não seria um instrumento adequado. Mesmo para mim agora quase não é mais adequado.

Ele percebeu que já não conseguia relaxar durante uma conversa com ela, por medo de que ela a levasse de volta a esse terreno. Mesmo durante seus diálogos mais agradáveis, parte de sua mente precisava ficar alerta, pronta para interrompê-la caso ela conseguisse encontrar mais alguma brecha. Mesmo assim, ele não conseguia desviá-la todas as vezes, e simplesmente fingia não escutar quando ela dizia coisas como: "Ah, seria tão mais fácil se eu apenas pudesse tocar para você!".

Por volta do final de setembro — a brisa agora trazia um pouco de frio —, Giancarlo recebeu um telefonema do sr. Kaufmann, de Amsterdã; havia uma vaga de celista em um pequeno grupo de música de câmara de um hotel cinco-estrelas no centro da cidade. O grupo tocava em uma sacada suspensa acima do salão de jantar quatro noites por semana, e os músicos tinham também outras "tarefas leves, não musicais" em outras partes do hotel. Havia a possibilidade de combinar comida e hospedagem. O sr. Kaufmann imediatamente havia se lembrado de Tibor, e eles estavam segurando a vaga para ele. Demos a notícia depressa a Tibor — no café, na mesma noite em que o sr. Kaufmann ligou —, e acho que ficamos todos surpresos com a frieza da sua reação. Com certeza era um constraste com sua atitude no início do verão, quando tínhamos arranjado seu "teste" com o sr. Kaufmann. Giancarlo, em especial, ficou muito zangado.

— Mas sobre o que você precisa pensar com tanto cuidado? — perguntou ele ao rapaz. — O que estava esperando? O Carnegie Hall?

— Não estou sendo ingrato. Mas mesmo assim preciso pensar um pouco nesse assunto. Tocar para as pessoas enquanto elas conversam e comem... E essas outras tarefas no hotel. Será que é mesmo adequado para alguém como eu?

Giancarlo sempre perdia a paciência depressa demais, e nessa hora tivemos de segurá-lo para que ele não agarrasse Tibor pelo casaco e gritasse na sua cara. Alguns de nós até nos sentimos obrigados a tomar o partido do rapaz, lembrando que afinal de contas a vida era dele, e que ele não tinha obrigação nenhuma de aceitar um trabalho com o qual não se sentisse confortável. As coisas acabaram se acalmando, e Tibor então começou a concordar que o emprego tinha alguns bons aspectos caso fosse considerado uma solução temporária. E a nossa cidade, comentou ele de forma um tanto insensível, iria se transformar em um fim de mundo quando a temporada turística acabasse. Amsterdã pelo menos era um centro cultural.

— Vou pensar com cuidado nesse assunto — disse ele no final. — Talvez vocês possam fazer a gentileza de dizer ao senhor

Kaufmann que eu comunico minha decisão a ele daqui a três dias. Giancarlo não chegou a ficar satisfeito com isso — afinal de contas, esperava gratidão e salamaleques —, mas mesmo assim saiu para ligar para o sr. Kaufmann. Eloise McCormack não foi mencionada uma vez sequer durante toda a conversa dessa noite, porém estava claro para nós que sua influência estava por trás de tudo que Tibor vinha dizendo.

— Aquela mulher o transformou em um merdinha arrogante — disse Ernesto depois de Tibor ir embora. — Deixem só ele se comportar assim em Amsterdã. Logo, logo vai aprender uma ou duas lições.

Tibor nunca tinha contado a Eloise sobre seu teste com o sr. Kaufmann. Estivera prestes a fazê-lo muitas vezes, mas sempre havia recuado, e, quanto mais profunda ficava a amizade deles, mais lhe parecia uma traição ele um dia ter concordado em fazer algo assim. Então, naturalmente, Tibor não sentiu nenhuma inclinação de consultar Eloise sobre esses últimos acontecimentos ou até mesmo dar-lhe qualquer indicação sobre o assunto. Mas, como ele nunca tinha sido um bom dissimulador, essa decisão de não revelar o segredo a ela teve resultados inesperados.

A tarde estava mais quente do que o normal. Ele havia chegado ao hotel como de hábito e começado a tocar para ela algumas novas peças que vinha preparando. Porém, depois de apenas três minutos, ela o deteve dizendo:

— Tem alguma coisa errada. Achei isso logo que você entrou. Eu agora o conheço tão bem, Tibor, que percebi quase pela forma como você bateu na porta. Agora que ouvi você tocar, tenho certeza. É inútil, você não pode esconder nada de mim.

Ele ficou bastante abalado e, abaixando o arco, estava prestes a esclarecer tudo quando ela ergueu a mão e disse:

— Não podemos continuar fugindo disso. Você sempre tenta evitar, mas não adianta. Eu quero conversar a respeito. Na semana passada inteira quis conversar sobre isso.

— É mesmo? — Ele a olhou, espantado.

— É — disse ela, e mudou a cadeira de posição de modo a, pela primeira vez, ficar de frente para ele. — Eu nunca tive a intenção de enganar você, Tibor. Estas últimas semanas não foram muito fáceis para mim, e você tem sido um ótimo amigo. Eu detestaria, detestaria mesmo, que você pensasse que eu algum dia quis enganar você com algum truque barato. Não, por favor, não tente me fazer calar desta vez. Eu quero dizer isso. Se você me desse esse violoncelo agora mesmo e me pedisse para tocar, eu teria que responder não, eu não consigo. Não porque o instrumento não é bom o bastante, nada disso. Mas, se você agora está pensando que eu sou uma farsa, que eu de alguma forma fingi ser algo que não sou, então quero dizer que está enganado. Olhe para tudo que conseguimos fazer juntos. Não é prova suficiente de que eu não sou nenhuma farsa? Sim, eu disse a você que era uma virtuose. Bem, deixe-me explicar o que eu quis dizer com isso. O que eu quis dizer foi que nasci com um dom muito especial, da mesma forma que você. Você e eu temos uma coisa que a maioria dos outros celistas nunca vão ter, por mais que eles ensaiem. Reconheci isso em você no instante em que o escutei naquela igreja. E, de certa forma, você também deve ter reconhecido isso em mim. Foi por essa razão que decidiu vir a este hotel naquela primeira vez.

— Não existem muitas pessoas como nós, Tibor, e nós nos reconhecemos. O fato de eu ainda não ter aprendido a tocar violoncelo na verdade não muda nada. Você precisa entender, eu *sou* uma virtuose. Mas sou uma virtuose que ainda precisa ser *revelada*. Você também ainda não foi completamente revelado, e é isso que estive fazendo nestas últimas semanas. Tentando ajudá-

-lo a se livrar de todas essas camadas. Mas nunca tentei enganar você. Em noventa e nove por cento dos celistas, não existe nada debaixo dessas camadas, não existe nada para ser revelado. Então pessoas como nós precisam se ajudar. Quando nos vemos em uma praça lotada, ou onde quer que seja, temos que ir na direção um do outro, porque há muito poucas pessoas como nós.

Ele percebeu que lágrimas haviam surgido nos olhos dela, mas a sua voz continuara firme. Em seguida ela se calou e tornou a se virar de costas para ele.

— Então a senhorita se considera uma celista especial — disse ele depois de alguns instantes. — Uma virtuose. O restante de nós, senhorita Eloise, precisa reunir toda a coragem que tem para revelar a si mesmo, como a senhorita diz, sem nunca ter certeza do que vai encontrar lá embaixo. Mas a senhorita não liga para esse tipo de revelação. A senhorita não faz nada. Mas tem muita certeza de ser uma virtuose...

— Por favor, não se irrite. Sei que tudo isso parece meio doido. Mas é assim que é, é essa a verdade. Minha mãe reconheceu meu dom imediatamente, quando eu era bem pequena. Por isso, ao menos, sou grata a ela. Mas os professores que ela arrumou para mim, quando eu tinha quatro anos, depois sete, depois onze, não valiam nada. Mamãe não sabia disso, mas eu sim. Mesmo quando eu era uma garotinha, eu possuía uma espécie de instinto. Sabia que precisava proteger o meu dom de pessoas que, por melhores que fossem as suas intenções, poderiam destruí-lo por completo. Então eu as isolei. Você precisa fazer a mesma coisa, Tibor. O seu dom é precioso.

— Me perdoe — interrompeu Tibor, agora com mais delicadeza. — A senhorita disse que tocou violoncelo quando era menina. Mas hoje em dia...

— Eu não toco o instrumento desde os onze anos. Desde o dia em que expliquei para mamãe que não podia continuar tendo aulas com o senhor Roth. E ela entendeu. Concordou que era muito melhor não fazer nada e esperar. O mais importante era não estragar meu dom. Mas o meu dia ainda poderia chegar. Tudo bem, às vezes acho que deixei passar tempo demais. Agora tenho quarenta e um anos. Mas pelo menos eu não estraguei aquilo com que nasci. Ao longo dos anos, conheci muitos professores que disseram que iriam me ajudar, no entanto eu os desmascarava. Às vezes é difícil saber, Tibor, mesmo para nós... Esses professores são muito... *profissionais*, todos falam muito bem, você escuta, e no início se deixa enganar. Você pensa: sim, finalmente, alguém para me ajudar, ele é um de *nós*. Então percebe que ele não é nada disso. E é nessa hora que você precisa ser forte e se isolar. Lembre-se disso, Tibor, é sempre melhor esperar. Eu às vezes me sinto mal por causa disso, por ainda não ter revelado o meu dom. Mas pelo menos eu não o estraguei, isso é o que conta.

 Ele acabou tocando para ela algumas das peças que havia preparado, mas os dois não conseguiram recuperar seu clima habitual e terminaram a sessão mais cedo. Na *piazza*, tomaram seu café, conversando pouco, até ele lhe contar seus planos de sair da cidade por alguns dias. Sempre quisera explorar a zona rural nos arredores da cidade, disse ele, então havia organizado umas férias curtas.

 — Isso vai fazer bem a você — disse ela em voz baixa. — Mas não fique muito tempo fora. Ainda temos muito a fazer.

 Ele lhe garantiu que voltaria dali a uma semana, no máximo. Mesmo assim, havia algo de estranho no comportamento dela quando se despediram.

 Ele não fora totalmente sincero em relação à viagem: ainda não havia organizado nada. Depois de se despedir de Eloise nessa tarde, porém, foi para casa, deu vários telefonemas e acabou reservando uma cama em um albergue da juventude nas montanhas perto da fronteira com a Umbria. Foi nos visitar no café nessa noite e, além de nos falar sobre a viagem — nós lhe demos vários conselhos contraditórios sobre aonde ir e o que ver —, pediu, um pouco encabulado, que Giancarlo avisasse ao sr. Kaufmann que ele gostaria de aceitar o emprego.

— O que mais posso fazer? — disse-nos ele. — Quando eu voltar, não vou ter mais dinheiro nenhum.

Os dias de Tibor no campo foram bem agradáveis. Ele não nos contou muito a respeito, a não ser para dizer que tinha feito amizade com uns trilheiros alemães e gasto mais do que podia nas trattorias das montanhas. Voltou uma semana depois, parecendo visivelmente revigorado, mas ansioso para se certificar de que Eloise McCormack não deixara a cidade na sua ausência.

A essa altura os turistas começavam a ficar mais escassos, e os garçons dos cafés traziam aquecedores de varanda para pôr entre as mesas do lado de fora. Na mesma tarde em que voltou, no horário habitual, Tibor levou outra vez seu violoncelo para o Excelsior e ficou contente ao descobrir que não apenas Eloise estava lá à sua espera como ela, claramente, tinha sentido sua falta. Ela o recebeu com emoção e, assim como qualquer outra pessoa em um acesso de afeição o teria enchido de comidas e bebidas, ela o empurrou para sua cadeira habitual e com impaciência começou a retirar o violoncelo do estojo, dizendo:

— Toque para mim! Vamos! Apenas toque!

Passaram uma tarde maravilhosa. Ele andara preocupado, pensando em como as coisas iriam correr depois da "confissão" dela e da forma como haviam se despedido na última vez, mas toda a tensão parecia simplesmente ter evaporado, e o clima entre os dois estava melhor do que nunca. Mesmo quando, depois de ele terminar uma peça, ela fechou os olhos e iniciou uma longa e rigorosa crítica de sua performance, ele não experimentou nenhum ressentimento; apenas uma ânsia de compreendê--la o mais completamente possível. No dia seguinte, e no outro também, foi a mesma coisa: uma atmosfera relaxada, às vezes até brincalhona, e ele teve certeza de que nunca havia tocado melhor na vida. Não fizeram nenhuma alusão à conversa anterior à sua viagem, e ela tampouco perguntou sobre as férias no campo. Só conversaram sobre música.

Então, quatro dias depois de sua volta, uma série de pequenos acidentes — incluindo um vazamento no reservatório da privada do quarto dele — o impediu de ir ao Excelsior na hora habitual. Quando ele passou pelo café, a luz estava caindo, os garçons haviam acendido as velas dentro de pequenos recipientes de vidro e nós já havíamos tocado um ou dois números da nossa apresentação da hora do jantar. Ele acenou para nós, depois atravessou a praça em direção ao hotel, com o violoncelo fazendo parecer que estava mancando.

Notou que o recepcionista hesitou ligeiramente antes de telefonar para o quarto dela. Então, quando ela abriu a porta, cumprimentou-o de maneira calorosa, mas de certa forma diferente, e antes de ele dizer qualquer coisa ela falou depressa:

— Tibor, que bom que você veio. Eu estava falando sobre você com Peter agora mesmo. Isso mesmo, Peter finalmente me encontrou! — Ela então chamou em direção ao quarto: — Peter, ele chegou! Tibor chegou. E trouxe o violoncelo!

Quando Tibor entrou no quarto, um homem alto, desengonçado e grisalho, usando uma camiseta polo clara, levantou-se com um sorriso. Apertou a mão de Tibor com muita firmeza e disse:

— Ah, eu ouvi falar muito de você. Eloise está convencida de que você vai ser uma grande estrela.

— Peter é persistente — ela estava dizendo. — Sabia que ele iria acabar me encontrando.

— Não há como se esconder de mim — disse Peter. Então puxou uma cadeira para Tibor e lhe serviu uma taça de champanhe do balde de gelo sobre a estante. — Venha, Tibor, ajude-nos a celebrar nosso reencontro.

Tibor bebeu um golinho do champanhe e notou que Peter havia puxado para ele, por acaso, sua habitual "cadeira de violoncelo". Eloise tinha desaparecido em algum lugar e, durante algum tempo, Tibor e Peter ficaram conversando, de copo na mão. Peter parecia gentil e fez várias perguntas. Como tinha sido para Tibor ser criado em um lugar como a Hungria? Ele tivera um choque na primeira vez em que fora ao Ocidente?

— Eu adoraria tocar algum instrumento — disse Peter. — Você tem muita sorte. Eu gostaria de aprender. Mas acho que agora está um pouco tarde.

— Ah, nunca se pode dizer que é tarde demais — observou Tibor.

— Tem razão. Nunca diga tarde demais. Tarde demais é sempre uma desculpa. Não, a verdade é que eu sou um homem ocupado e vivo dizendo a mim mesmo que sou ocupado demais para aprender a falar francês, a tocar um instrumento, para ler *Guerra e paz*. Todas as coisas que eu sempre quis fazer. Eloise tocava quando era criança. Imagino que ela tenha contado isso a você.

— Ela contou, sim. Soube que ela tem muitos dons.

— Ah, tem sim. Qualquer um que conheça Eloise pode ver isso. Ela tem uma sensibilidade incrível. Quem deveria ter essas aulas é ela. Eu não passo do senhor Dedos de Banana. — Ergueu a mão e riu. — Gostaria de tocar piano, mas o que é que se pode fazer com mãos assim? São ótimas para cavar a terra, que é o que a minha família vem fazendo há muitas gerações. Mas essa mulher... — Ele apontou para a porta com o copo. — Ela, sim, tem sensibilidade.

Por fim, Eloise emergiu do quarto usando um vestido de noite preto e muitas joias.

— Peter, não chateie Tibor — disse. — Ele não se interessa por golfe.

Peter estendeu as mãos e olhou para Tibor com ar de súplica.

— Me fale, Tibor. Eu disse alguma palavra sobre golfe com você?

Tibor comentou que era melhor ir embora, que via que estava atrasando o jantar do casal. Os dois protestaram, e Peter falou:

— Agora olhe para mim. Eu pareço vestido para jantar?

E, embora Tibor achasse que ele estava perfeitamente decente, deu a risada que pareciam esperar dele. Então Peter disse:

— Você não pode ir embora sem tocar alguma coisa. Tenho ouvido falar tanto na sua música.

Sem saber como agir, Tibor estava começando a abrir o estojo do violoncelo, quando Eloise disse com firmeza, com um novo timbre na voz:

— Tibor tem razão. Está ficando tarde. Os restaurantes daqui não seguram a mesa se você não chegar na hora. Peter, vá se vestir. E fazer a barba também, quem sabe? Eu levo Tibor até a porta. Quero falar com ele em particular.

No elevador, os dois sorriram afetuosamente um para o outro, sem dizerem nada. Quando estavam do lado de fora, encontraram a *piazza* toda iluminada para a noite. Crianças da cidade, já de volta das férias, chutavam bolas ou se perseguiam ao redor do chafariz. A *passeggiatta* vespertina estava no auge e imagino que a nossa música devesse estar flutuando no ar até onde eles estavam.

— Bem, é isso — disse ela por fim. — Ele me encontrou, então acho que merece ficar comigo.

— Ele é uma pessoa encantadora — disse Tibor. — A senhorita agora pretende voltar para os Estados Unidos?

— Daqui a alguns dias. Acho que sim.

— E pretende se casar?

— Imagino que sim. — Ela o encarou por alguns instantes com um olhar intenso, depois olhou para o outro lado. — Imagino que sim — repetiu.

— Desejo à senhorita muita felicidade. Ele é um homem gentil. Também é um amante da música. Isso é importante para a senhorita.

— Sim. É importante.

— Sabe agora há pouco, enquanto estava se arrumando? Nós não falamos sobre golfe, e sim sobre aulas de música.

— Ah, é mesmo? Está querendo dizer para ele ou para mim?

— Para os dois. Mas eu não imagino que em Portland, Oregon, haja muitos professores capazes de dar aulas à senhorita.

Ela riu.

— Como eu disse, é difícil para gente como nós.

— Sim, eu entendo isso. Depois destas últimas semanas, entendo mais do que nunca. — Então ele acrescentou mais uma coisa. — Senhorita Eloise, tem algo que preciso contar antes de nos separarmos. Logo irei para Amsterdã, onde me arrumaram uma vaga em um hotel grande.

— Você vai ser porteiro?

— Não. Vou tocar em um pequeno grupo de câmara no salão de jantar do hotel. Nós vamos tocar para os hóspedes enquanto eles comem.

Ele a observava com atenção e viu algo se acender atrás de seus olhos, e em seguida se dissipar. Ela tocou seu braço com uma das mãos e sorriu.

— Bom, então boa sorte. — Em seguida concluiu: — Esses hóspedes do hotel. Eles vão ganhar um presente e tanto.

— Espero que sim.
Por mais alguns segundos, os dois continuaram ali de pé, lado a lado, um pouco mais à frente do clarão de luz lançado pela fachada do hotel, com o violoncelo grandalhão entre eles.
— E espero também — disse ele — que a senhorita seja muito feliz com o senhor Peter.
— Também espero que sim — disse ela, e tornou a rir. Então lhe deu um beijo no rosto e um abraço rápido. — Cuide-se — falou.
Tibor agradeceu e, antes de se dar conta, já a estava vendo se afastar de volta para o Excelsior.

Tibor deixou nossa cidade logo depois disso. Na última vez em que tomamos drinques com ele, estava claramente agradecido a Giancarlo e a Ernesto pelo emprego, e a nós todos pela amizade, mas não pude evitar a impressão de que ele estava um pouco distante. Alguns de nós acharam isso, não só eu, embora Giancarlo, como era do seu feitio, tenha tomado o partido de Tibor, dizendo que o rapaz estava apenas animado e nervoso com seu passo seguinte na vida.
— Animado? Como é que ele pode estar animado? — disse Ernesto. — Passou o verão inteiro ouvindo que era um gênio. Um emprego em um hotel é uma derrocada. Ficar sentado conversando conosco também é uma derrocada. No começo do verão ele era um cara legal. Mas, depois do que aquela mulher fez, estou feliz por ele estar indo embora.
Como eu disse, isso tudo foi há sete anos. Giancarlo, Ernesto, todos os rapazes daquela época exceto eu e Fabian, todos seguiram em frente. Até vê-lo na *piazza* no outro dia, fazia muito tempo que eu não pensava no nosso jovem maestro húngaro. Não foi tão difícil reconhecê-lo. Ele havia engordado, com cer-

teza, e estava com o pescoço bem mais grosso. E a forma como gesticulava com o dedo para chamar o garçom — talvez tenha sido imaginação minha — tinha algo da impaciência, da falta de jeito que acompanha certo tipo de amargura. Mas talvez isso seja injusto. Afinal de contas, só o vi de relance. Mesmo assim, pareceu-me que ele havia perdido aquela ânsia juvenil de agradar e os modos cautelosos que tinha antigamente. Tudo na vida tem seu lado bom, você poderia dizer.

Eu teria ido até lá falar com ele, mas, quando nossa apresentação terminou, ele já tinha ido embora. Até onde sei, só estava ali passando a tarde. Estava de terno — nada muito elegante, apenas um terno comum —, então talvez agora tivesse um emprego diurno atrás de alguma escrivaninha. Talvez tivesse compromissos ali por perto e tenha vindo à nossa cidade só para relembrar os velhos tempos, quem sabe? Se ele reaparecer na praça e eu não estiver tocando, irei até sua mesa dar uma palavrinha com ele.

1ª EDIÇÃO [2010]
2ª EDIÇÃO [2017] 1 reimpressão

ESTA OBRA FOI COMPOSTA PELO GRUPO DE CRIAÇÃO EM ELECTRA E
IMPRESSA PELA GRÁFICA BARTIRA EM OFSETE SOBRE PAPEL PÓLEN SOFT
DA SUZANO PAPEL E CELULOSE PARA A EDITORA SCHWARCZ
EM FEVEREIRO DE 2018

MISTO
Papel produzido
a partir de
fontes responsáveis
FSC® C105484

A marca FSC® é a garantia de que a madeira utilizada na fabricação do papel deste livro provém de florestas que foram gerenciadas de maneira ambientalmente correta, socialmente justa e economicamente viável, além de outras fontes de origem controlada.